LE FOND DE L'ÂME EFFRAIE

Mort et passion d'un amateur de jardins, Balland, 1975.

Guy LANGLOIS

LE FOND DE L'ÂME EFFRAIE

EFFRAIE

roman

Fayard

Le Prix du Quai des Orfèvres a été décerné sur manuscrit anonyme par un jury présidé par M. le Directeur central de la Police judiciaire, au 36, quai des Orfèvres. Il est proclamé par M. le Préfet de police.

Novembre 2000

Il n'y a aucun rapport
entre l'idée de la souffrance
et l'être qui saigne et qui souffre.
Il n'y a aucun rapport
entre la pensée de la mort
et les convulsions de la chair
et de l'âme qui se débat et meurt.

Romain ROLLAND, *Jean-Christophe*

I

Il y a des joies, comme ça, auxquelles on ne s'attend pas. Trop belles pour être vraies. Et pourtant, la ravissante Marie-Blanche était bien là. Comment lui, un quinquagénaire bedonnant, au cheveu rare et gras, avait-il pu taper ainsi dans l'œil d'une si jolie jeune femme ? Mystère. Mais elle était pourtant bien à ses côtés. Prête à se donner. Et gratuitement. Rien que pour le plaisir. Pas comme toutes ces entraîneuses, michetonneuses et autres putes que Louis Levasseur avait l'habitude de payer.

La connaissait-il déjà ? Était-elle la femme ou la maîtresse d'un ami ou d'un collaborateur en mal de promotion ? Qu'importe. Marie-Blanche lui avait donné rendez-vous mardi soir à dix heures devant un bar de la place Cauchoise. Elle portait une grande cape de laine sur une jolie robe champêtre, le genre Laura Ashley, et sans doute rien dessous si ce n'est une petite culotte que Louis rêvait déjà d'enlever. Elle l'embrassa furtivement sur la bouche, mais s'écarta dès qu'il voulut l'enlacer.

– Je suis venue pour ça, dit-elle en le regardant dans le fond des yeux, mais pas seulement pour ça. C'est notre première soirée et je voudrais que nous en conservions un bon souvenir… Vous savez ce que j'aimerais ? Que nous allions marcher un peu au bord de la mer. Vous vous rendez compte, nous sommes à la mi-octobre et on dirait que c'est encore l'été ! Vous m'emmenez à Dieppe ? Après on ira chez vous…

Louis avait pensé que les choses se feraient plus vite. Il avait disposé des coupes pour le champagne sur la table basse du salon, mis une bouteille de Veuve Clicquot au frigo, demandé à Fernanda de changer les draps, de mettre des serviettes propres dans la salle de bains et même d'aller acheter quelques fleurs. Mais au fond la petite avait raison. L'attente fait partie des plaisirs de l'amour.

En arrivant près de la plage, il essaya de voir s'il y avait encore quelque brasserie ouverte, il aurait bien bu une petite bière. Mais Dieppe a beau être une ville balnéaire, à onze heures un soir de semaine au mois d'octobre, il n'y a pas âme qui vive dans les rues, si ce n'est aux abords du port. Et encore. Mais après tout cela n'avait guère d'importance. L'essentiel était de satisfaire cette envie qu'avait exprimée Marie-Blanche : faire quelques pas pieds nus sur la plage, puis vite reprendre la route de Rouen.

Louis profita de cette petite marche pour lui prendre la main, lui passer le bras autour de la taille et lui caresser un peu le bas du dos. Ils déambulèrent ainsi une demi-heure, une heure peut-être.

Louis parla de son métier d'architecte, de ses projets. Il voulait aller à Rome le mois prochain. Si elle le voulait, il l'emmène-rait… Et puis, soudain, elle se blottit contre lui et l'interrompit :

– Si on rentrait ? J'ai un peu froid.

Louis n'attendait que ça et, le pull noué autour de la taille pour dissimuler sa proéminente érection, il entraîna Marie-Blanche d'un pas rapide vers la Mercedes.

L'instant d'après, ils filaient à plus de cent quatre-vingts en direction de Rouen. Marie-Blanche le regardait chaque fois que les phares d'une voiture croisée éclairaient son visage. Elle avait enlevé ses chaussures et posé ses pieds sur le tableau de bord.

– Vous savez, j'ai une idée. Vous avez été très gentil de céder à mon caprice en m'emmenant marcher en pleine nuit sur la plage… Alors je vais vous offrir une petite récompense… Ça vous plairait ? dit-elle en lui posant la main sur le haut de la cuisse.

– Et comment, ma chatte ! Et c'est quoi, ta récompense ?

– C'est une surprise, c'est quelque chose que peu de femmes savent bien faire. Alors c'est d'accord ?

– Évidemment que c'est d'accord !

– Dès que vous verrez une petite route, vous la prendrez ; je vais quand même pas vous faire ça sur le bord de l'autoroute !

– Quoi ! Tu veux me faire ça tout de suite dans la voiture ? On va plutôt aller chez moi… une petite goutte de champagne, ça t'exciterait pas un peu ?

– Chez vous, je vous ferai encore autre chose. Là, c'est comme on dit dans les restaurants… une mise en bouche, vous voyez ce que je veux dire… Vous verrez, vous ne le regretterez pas !

L'expression ne pouvait être plus imagée. Décidément, se dit Louis, la chance me sourit. Sous ses airs de sainte nitouche, j'ai levé une salope de première… les meilleures !

Quelques kilomètres plus loin, il aperçut une petite route qui semblait s'enfoncer vers un bosquet.

– Ça te va, comme nid d'amour, demanda-t-il ?

– J'adore… et vous aussi, vous allez adorer !

– Tu sais que tu peux me tutoyer, ma chatte, ça me ferait plaisir.

– Tout à l'heure, après. Tenez, là, regardez, le petit sentier.

Personne, effectivement, ne viendrait les déranger dans l'obscurité de ce sous-bois.

Louis gara la voiture et commença à caresser la chevelure de Marie-Blanche pour l'attirer à lui. Mais elle recula brusquement :

– Non, non, laissez-moi faire! D'abord, vous allez me décoiffer, et puis je vous ai promis le grand jeu, pas un câlin vite fait bien fait. Laissez-moi me préparer, et surtout, ajouta-t-elle en ouvrant la portière, ne vous retournez pas, ça doit vraiment être une surprise.

Elle sortit de la voiture avec son sac et prit place à l'arrière juste derrière Louis.

– Allons, on ferme les yeux sagement... le spectacle va commencer dans quelques instants.

Elle se pencha vers Louis, tourna le rétroviseur, puis lui passa la main sur les paupières et déposa un léger baiser sur sa joue.

– On ne regarde pas, c'est promis?

– Juré, répondit Louis.

– Alors penchez-vous en avant sur le volant pour que je sois sûre que vous ne regardiez pas dans le rétroviseur et comptez à haute voix jusqu'à trente.

– Un, deux, trois, quatre, cinq, six...

Il entendit Marie-Blanche ouvrir une fermeture Éclair, fouiller dans son sac.

– Vingt-sept, vingt-huit...

– Et trente, ajouta-t-elle.

Mais Louis n'entendit rien. D'un coup de matraque sec sur la nuque, rapide comme un éclair, sainte nitouche venait de l'envoyer dans les étoiles.

Combien de temps s'écoula-t-il avant qu'il ne revienne à lui? Louis émergea doucement, éprouvant à la fois des courbatures et un engourdissement profond. Et puis soudain il comprit. Il voulut crier, mais un large sparadrap en travers du visage l'en empêchait.

Sur le siège du passager, une cordelette de nylon autour du cou le maintenait fermement à l'appuie-tête. Une autre lui serrait les chevilles. Enfin, une troisième, passée autour des avant-bras, maintenait ceux-ci à la poignée au-dessus de la portière. D'un profond coup de cutter, Marie-Blanche lui avait ouvert les veines, et le sang ruisselait le long de ses bras, inondait son corps, son dos, son bas-ventre. Louis se débattit de toutes ses forces, mais rien n'y put. La cordelette de nylon tout comme le nœud marin dit «en diamant» résistèrent à toutes ses tentatives.

Marie-Blanche était assise à côté de lui et le regardait se débattre, un léger sourire aux lèvres. Sa fenêtre était entrouverte et l'on pouvait entendre une chouette ululer à quelques mètres à peine. Louis continuait de gesticuler comme un fou. Il essayait de crier, mais n'émettait que quelques borborygmes.

– Alors, monsieur Louis… vous voyez que toutes les notes se payent un jour ou l'autre. Et pas forcément avec un chèque !

Elle lui parla d'une voix douce. Sans animosité. Sans haine. Elle évoqua un passé lointain, des affaires que Louis avait oubliées, des noms, des visages qui ne lui disaient plus rien. Quelques images lui revinrent de très loin, une cascade, un étang, de vieilles rues pavées, mais elles lui semblaient fondues dans une sorte de brouillard.

Il continuait de gesticuler, mais déjà un peu moins. Ses forces le quittaient. Marie-Blanche alluma le plafonnier une seconde. Il y avait du sang partout. Louis avait sans doute commencé à vomir, car il semblait éructer sous son sparadrap et s'étouffer. Cela dura encore quelques minutes, puis sa tête commença à dodeliner. Elle eut l'impression qu'il pleurait.

– Tu veux savoir qui je suis avant de partir,
Louis ?

Il ne répondit pas. Il perdait lentement
connaissance. Elle l'entendit encore respirer quelques minutes. Et puis, soudain, il y
eut un profond soupir suivi d'une sorte de
râle et d'un hoquet. Et ce fut le silence. La
tête s'inclina encore un peu plus bas. C'était
fini.

Marie-Blanche sortit de la voiture et alla
faire quelques pas le long du chemin forestier. Des brindilles craquaient sous ses pieds
nus. La chouette s'était tue. Là-bas, en contrebas, on entendait parfois une voiture
passer sur la nationale.

Trois heures venaient de sonner au clo-
cher de l'église Saint-André et il y avait bien
longtemps qu'à deux pas de là tous les habi-
tants de la rue du Puits-Commun dor-
maient. Personne bien sûr n'entendit la
grosse Mercedes descendre en roue libre
dans cette étroite rue de Mont-Saint-

Aignan. Même les chats qui achevaient un festin autour de quelques poubelles renversées n'y prêtèrent guère attention. La voiture s'immobilisa devant le numéro 6. Une silhouette féminine drapée dans un grand châle noir en descendit, jeta à peine un regard de part et d'autre et disparut d'un pas léger par une étroite ruelle perpendiculaire qui devait descendre vers la gare de Rouen.

Quelques minutes s'écoulèrent, puis un chat grimpa sur le capot de la voiture, qui était un peu chaud.

Ce fut Joël Messmer, un jeune interne, qui arriva le premier dans la rue du Puits-Commun. Il rentrait de l'hôpital Charles-Nicolle, où il avait été de garde. Il habitait un peu plus bas, à l'angle de la rue Brazière.

Étonné par la présence de cette grosse voiture stationnée lumières éteintes en plein milieu de l'étroite chaussée, il pensa d'abord que son propriétaire était probablement en train de raccompagner une femme jusqu'à la porte d'une maison voisine. Ne voyant personne revenir, il imagina que peut-être un couple d'amoureux se croyant seuls s'adonnaient à quelques caresses. Il fit un léger appel de phares, et c'est alors qu'il

aperçut le sommet du crâne de Louis Levasseur. À peine fut-il sorti de sa voiture qu'il
comprit ce qu'il avait devant lui. Pas besoin
de lui faire un dessin : il savait à quoi ressemblait un macchabée. Suicide ? Meurtre ?
Ce n'était pas son problème. L'important
était de ne toucher à rien et d'appeler au
plus vite la police. Mais tandis qu'il rega-
gnait sa voiture pour attraper son portable,
il se souvint qu'un commandant de police
habitait dans la rue parallèle, la rue Victor-
Morin. Un dénommé Binard, ou quelque
chose dans ce goût. Il était venu l'interroger
un jour au printemps dernier à l'hôpital au
sujet d'un type qui s'était fait sérieusement
taillader près du port et qui en était mort
au petit matin. Oui, ils avaient ensuite un
peu bavardé et, maintenant il s'en souvenait, c'était bien rue Victor-Morin que le
commandant lui avait dit habiter ; ils
s'étaient d'ailleurs quittés en se lançant un
« Au revoir, voisin ! ».

Messmer n'eut pas à chercher longtemps.
Sur la sonnette du numéro 4, une carte de
visite portait le nom de Bidart, Pierre
Bidart. C'était bien ça. Le flic dormait sûre-
ment à poings fermés, à cette heure-ci.
Mais, de toute façon, les collègues le

réveilleraient forcément – et toute la rue
avec lui – s'il appelait directement les
secours. Messmer appuya trois fois sur la
sonnette. Personne ne répondit. Il sonna de
nouveau, cette fois-ci pendant quinze ou
vingt secondes au moins, jusqu'à ce qu'une
lumière s'allume à l'étage. Quelqu'un tira les
rideaux et ouvrit une fenêtre :

– Qu'est-ce que c'est ? Qu'est-ce que vous
cherchez à cette heure-ci ?

– Vous êtes bien le commandant Bidart ?

– Oui… et alors ?

– Je suis le docteur Messmer, de Charles-
Nicolle. Je viens de découvrir un cadavre
dans une voiture juste derrière, rue du Puits-
Commun.

– J'arrive.

Moins d'une minute plus tard, Bidart
était sur le pas de la porte, ayant enfilé à la
hâte un pantalon, une chemise, et boutonné
de travers l'un et l'autre.

– Nous nous sommes rencontrés à l'hôpital un jour, je ne sais pas si vous vous rappelez…

– Pas vraiment, grommela Bidart. Et
alors, il est où, votre cadavre ?

Lui non plus n'eut pas besoin qu'on lui fasse un dessin.

– Nom de Dieu ! Et il faut en plus qu'on abandonne ça en bas de chez moi ! Restez ici, ne laissez personne approcher, j'appelle le central.

Bidart courut jusque chez lui, laissant la grille du jardin et la porte d'entrée grandes ouvertes. L'instant d'après, coiffé, vêtu d'une veste et ayant ajouté des chaussettes à sa mise, il revenait avec une torche vers la Mercedes.

– J'ai secoué le nuiteux. Visiblement, les gars du quart étaient en pleine belote ! Il y a un véhicule de la sécurité publique en patrouille dans le coin ; ils arrivent. Je suis désolé, il faut que vous restiez là pour qu'on enregistre votre témoignage, il n'y en aura pas pour longtemps.

Il ne fallut guère plus de cinq minutes à l'équipage de la sécurité publique pour arriver, annoncé par l'éclat bleuté du gyrophare descendant le chemin des Cottes.

– Nom de Dieu, s'exclama le sous-brigadier Musart, il y a longtemps qu'on n'avait pas vu une telle boucherie !

– J'ai demandé à l'officier de quart de prévenir immédiatement l'officier de Police judiciaire de service. Il m'a dit qu'il serait là dans quelques minutes.

Messmer observait avec délectation le ballet policier et judiciaire se mettre en place. Lui qui avait passé tant de nuits à lire des polars était ce soir aux premières loges.

L'officier de PJ arriva effectivement en trombe quelques minutes plus tard. Dans le même temps arrivait l'équipe de l'Identité judiciaire du SRPJ. Quelques fenêtres du voisinage s'étaient allumées et des badauds essayaient de s'approcher, mais les gardiens de la paix les tenaient à l'écart.

Tandis que les gars de l'Identité photographiaient le défunt Levasseur sous toutes ses coutures et ses entailles, relevaient les empreintes sur les poignées et boutons de la Mercedes et collectaient le moindre gravillon, morceau de papier, de tissu, de ficelle, et jusqu'aux tickets de parking qu'ils rangeaient au fur et à mesure dans des sachets de plastique, l'officier de PJ livrait un rapide compte rendu des premières constatations au commissaire principal

Talmont, qui venait d'arriver. Grand patron
du Service d'investigation et de recherche,
communément appelé le SIR, Talmont rem-
plaçait au pied levé – et c'était bien le cas de
le dire – le commissaire subdivisionnaire
d'astreinte, dont la femme était en train
d'accoucher.

Deux types des pompes funèbres venaient
d'arriver et se dirigeaient à leur tour vers la
Mercedes. L'un d'eux, qui voulait faire de
l'humour, se pencha vers le cadavre :
– Bonsoir, monsieur, vous avez demandé
un taxi pour la rue Stanislas-Girardin ?
– Écarte-toi, abruti, lui lança un fonctionnaire de l'Identité, on attend le procureur
et le légiste. Tu feras tes plaisanteries plus
tard !
– Le légiste ne vient pas, annonça l'officier
de PJ, il va directement à l'institut médico-
légal après son bol de corn-flakes.

Habitant en dehors de Rouen, le substitut
du procureur arriva bon dernier. Il aperçut
Talmont et fut étonné de sa présence :
– Vous ici, commissaire, je croyais que
vous n'étiez d'astreinte que pour remplacer
votre directeur départemental …

Talmont expliqua l'histoire de son commissaire dont la femme accouchait.

– Vous êtes trop bon avec le petit personnel, mon vieux, ça vous perdra !

Il écouta à son tour les constatations de l'officier de PJ et s'approcha de la Mercedes.

– Sale boulot ! Aucun indice pour l'instant ?

– Rien de significatif. On va embarquer la voiture au dépôt pour regarder tout ça de plus près.

Le substitut se frotta le menton, comme si quelque chose le tracassait.

– Dites-moi, Talmont, vous savez comme moi que ce genre d'affaire devrait aller directement au SRPJ. Malheureusement, je crois savoir qu'ils sont un peu débordés en ce moment par plusieurs affaires assez lourdes. Votre brigade criminelle pourrait-elle s'occuper de celle-ci ?

Talmont adressa un regard accompagné d'un petit sourire à Bidart qui se tenait en retrait.

– Je crois que notre commandant Bidart se plaignait récemment de ne pas avoir beaucoup de travail en ce moment ; nous devrions pouvoir faire ça, monsieur le substitut.

– C'est parfait. Eh bien, dans ce cas, je vous laisse poursuivre les premières diligences, et demain – enfin, je veux dire tout à l'heure –, dès que je m'en serai entretenu avec monsieur le procureur de la République, et s'il m'en donne l'accord, je vous confirmerai ma saisine.

Messmer était monté dans un fourgon où l'on était en train d'enregistrer sa déposition. Bidart commençait à trouver le temps long et rentra chez lui. Il alla boire un verre de Badoit bien fraîche dans la cuisine. Il était quatre heures et demie passées. Il éteignit les lumières et regarda un instant à travers les voilages les éclairs bleus qui provenaient de la rue voisine.

Drôle de métier, quand même. Et ce type qu'on avait ficelé dans sa voiture et saigné comme un poulet, qu'allait-il nous réserver ? Qui pouvait avoir fait un coup pareil ? Un voyou ? Un tordu sadique ? Un mari jaloux ? Un truand ? On verrait demain.

Bidart remonta dans sa chambre. Marianne dormait du plus profond som-

meil. Pas le vrai. Le petit tube vert de Lexomil et la boîte de boules Quies étaient là
pour en attester. Il entendit le fourgon
démarrer et, à la suite, la voiture de ce
pauvre Messmer qui aurait mieux fait ce
soir-là de rentrer par un autre itinéraire.
Bidart se déshabilla, ne conservant que son
tee-shirt, et se glissa sous la couette.
Marianne émit un léger ronflement et se
retourna vers la fenêtre.

Au sixième étage de l'hôtel de police, rue
Brisout-de-Barneville, le lieutenant Jean
Morel, traditionnel – sinon fidèle – adjoint
de Bidart, parcourait les différents rapports
des procès-verbaux.

La victime, un dénommé Louis Levasseur, cinquante-deux ans, divorcé sans
enfant, des parents âgés retirés à Nice, habitait une maison individuelle à Bois-
Guillaume, sur les hauteurs de Rouen.
Architecte de son état, il n'avait pas de casier
et les Renseignements généraux ne s'étaient

jamais intéressés à lui. À part quelques
excès de vitesse, rien à signaler.

Bidart entra dans le bureau.

– Alors, commandant, on a joué à la tue-
cochon cette nuit en bas de chez vous ?

– Ah, je vois, c'est pour moi…

– Vous ne vouliez pas que notre chef bien-
aimé confie ça à quelqu'un d'autre, non ?

– Bon, alors, qu'est-ce que ça raconte, tout
ça ?

– RAS sur le type. Mille et une empreintes
dans la voiture, mais aucun indice particulier. Il a été assommé d'un coup de man-
chette ou de matraque souple vers vingt-
trois heures, ligoté avec de la cordelette de
nylon, modèle bicolore rouge et blanc qu'on
trouve certainement dans tout magasin de
bricolage. Ah si, juste un détail : tous les
nœuds étaient identiques ; il s'agit d'un
nœud marin très particulier dit « nœud en
diamant ». Il y avait aussi un petit morceau
de tulle blanc noué autour du rétroviseur,
vous savez, le genre « pouet pouet, vive la
mariée ! ». Le ou les meurtriers l'ont
bâillonné jusqu'aux oreilles avec un large
sparadrap qui lui a ensuite été retiré et
qu'on n'a pas retrouvé, mais il y avait des

traces de colle sur le visage. Le type avait les avant-bras attachés à la poignée de maintien du côté passager et… « couic », deux coups de cutter aux poignets comme dans le plus réussi des suicides.

– C'est un peu ce que j'avais imaginé cette nuit. Drôle de façon de tuer quelqu'un.

– La victime s'est bien sûr réveillée, débat-tue, mais ne pouvait rien faire et s'est sentie mourir lentement – ce que vraisemblable-ment recherchait le meurtrier.

– Votre première impression ?

– Ou bien c'est un malade qui l'a tué, ou bien c'est une vengeance, une punition, quelque chose dans ce genre.

– Ce qui signifie que notre homme n'est pas aussi blanc que ça et qu'il a trempé dans quelque affaire que nous découvrirons. En attendant, on va aller voir à quoi ressemble sa maison et ce que la bonne a à nous dire.

La sente Sainte-Venise réunissait derrière des haies de thuyas taillés au cordeau des villas plutôt chic parmi lesquelles celle de Levasseur

ne dénotait pas. Colombages, tuiles norman-
des à l'ancienne, fenêtres à petits carreaux et
rosiers grimpants, tout y était.

À peine la Renault Scénic avait-elle fran-
chi le portail et fait crisser le gravier que la
porte d'entrée s'ouvrit. La bonne, arborant
jupe noire et petit tablier blanc, vint à leur
rencontre.

– Bonjour madame. Commandant Bidart,
brigade criminelle, vous êtes bien Fernanda
Almeira ?

– Oui, commandant. On m'avait dit que
vous viendriez certainement ce matin. C'est
affreux, que s'est-il passé ?

En voilà une, se dit Bidart, qui vit l'aventure de sa vie. Ça m'étonnerait bien qu'en
temps ordinaire elle porte un petit tablier
blanc à dix heures du matin.

La maison était cossue. Pas le style extra-
vagance d'architecte, mais plutôt bon bourgeois de province. Du Louis XV, genre belles
copies du faubourg Saint-Antoine, quelques meubles en marqueterie, des lampes
avec des abat-jour tarabiscotés du style
petits flonflons et autres chinoiseries. Il y
avait même une tapisserie avec une licorne
entourée de quelques niais. Il avait dû héri-

ter de tout ça, l'architecte, à moins que ce ne fût la maison de ses parents.

Madame Almeira leur fit visiter la gentil-hommière du sol au plafond. Bidart put même jeter un coup d'œil dans le réfrigéra-teur, où il observa qu'il y avait beaucoup plus à boire qu'à manger et que le maître des lieux semblait avoir une petite faiblesse pour le Veuve Clicquot.

– Monsieur Levasseur n'avait pas un pen-chant pour la boisson, n'est-ce pas ?

– Non, bien sûr que non, c'était pour les réceptions, il traitait bien ses invités.

– Vous travaillez ici depuis longtemps ?

– Ça fait plus de dix ans. Je viens tous les matins.

– Monsieur Levasseur avait-il quelqu'un dans sa vie, une compagne, une femme ?

Madame Almeira esquissa un sourire qui se voulait plein de sous-entendus, du genre « je m'attendais bien à cette question », mais Bidart remarqua surtout qu'elle avait une impressionnante collection de dents en or et pensa à tout l'argent que ça avait dû coû-ter.

– Non, des jeunes femmes, comme ça de temps en temps, c'est tout.

– Des jeunes femmes qu'il rencontrait où, dans des soirées, chez des amis ?

– Non, des jeunes femmes comme ça qu'il rencontrait dans les magasins en faisant ses courses ou en allant dans des bureaux.

– Aviez-vous remarqué sur le rétroviseur de la Mercedes un petit nœud en tulle, vous savez, comme on en met sur les voitures pour aller à un mariage ? Savez-vous d'ailleurs si monsieur Levasseur est allé à un mariage ces jours-ci ?

– Un nœud en tissu blanc ? Non, je l'aurais remarqué. Je crois pas non plus qu'il soit allé à un mariage. Il s'est habillé en décontracté toute la semaine.

– Vous savez où se trouvent son carnet d'adresses et son agenda ?

– Dans le bureau.

Le répertoire avait visiblement quelques bonnes années d'existence, nombre d'adresses étaient raturées ou recopiées. Aucune mention de mariage ne figurait sur l'agenda, qui ne livra qu'une seule information intéressante. À la page du 15 octobre, il y avait écrit en fin de journée : « M.B. »

Bidart remonta dans le temps et retrouva ces initiales à deux autres jours de la

semaine précédente.   Mais   madame
Almeira ne savait pas du tout qui pouvait
être ce ou cette M.B. Elle fit d'ailleurs remarquer que Louis Levasseur notait nombre de
ses rendez-vous de la sorte. Et puis, après
avoir toussoté, comme pour annoncer une
déclaration importante, elle ajouta qu'il lui
avait demandé la veille de préparer la
maison comme il le faisait chaque fois qu'il
avait un rendez-vous galant : draps propres,
champagne au frais, etc.

Il avait même demandé, ce qu'il ne faisait
pas d'ordinaire, des fleurs dans le salon et
dans la chambre. D'où la gerbe de glaïeuls
devant la «Licorne aux niais». Mais de là à
dire que le rendez-vous galant était avec
M.B., elle se garderait bien de l'affirmer.
Levasseur était secret.

Conformément à ce qu'avait subodoré le
substitut, le procureur de la République,
Edmond Chantrin, dont tout Rouen savait
qu'il était socialiste, philatéliste et amateur

de gros cigares, avait confirmé la saisine, et c'était bien à la brigade criminelle du SIR qu'il revenait de poursuivre les investigations.

Malgré le carnet de rendez-vous, le répertoire, les empreintes, l'autopsie (qui ne révéla rien de particulier) et les visites à ses proches et dans tout le voisinage, l'assassinat de Levasseur demeura les premiers jours entouré d'un profond brouillard. L'enquête de flagrance semblait condamnée à piétiner, et d'ailleurs Bidart n'était pas à son aise. Trente ans de métier avaient développé en lui comme chez beaucoup d'officiers de police une espèce d'instinct qui lui permettait, dès les premières heures d'une enquête, de flairer quelque chose. Non pas une piste, ni même une hypothèse. Il ne pouvait rien formuler, mais il «sentait», comme le vieux promeneur sent le champignon ou le gibier dans les sous-bois. Là, dans le cas présent, il ne sentait rien.

La jolie Martine Lorbach, jeune gardienne de la paix affectée à la brigade criminelle au titre d'enquêteur et qui travaillait avec lui sur ce dossier, avança à plusieurs reprises qu'il pourrait s'agir de la vengeance

d'une femme que Levasseur avait dû faire
souffrir. Mais Bidart n'y croyait pas. Ça ne
ressemblait pas à ce qu'avaient révélé les
premiers éléments de l'enquête.

Marié très jeune, Levasseur avait vu sa
femme filer cinq ans plus tard avec un
concessionnaire BMW de la Sarthe. On lui
avait connu une poignée de liaisons avec de
jeunes bourgeoises rouennaises incasables,
aussi laides qu'argentées, mais ce furent
chaque fois des aventures sans lendemain,
et il avait finalement choisi de rester célibataire. Il avait effectivement reçu pas mal
d'argent de ses parents ainsi que la maison
de Bois-Guillaume, lorsque ceux-ci, prenant leur retraite, avaient vendu leur entre-
prise de travaux publics.

Libéré de toute crainte financière, Levasseur avait alors consacré son temps à son
cabinet d'architecte et à un petit cercle d'amis
modelés à son image – le genre chasse, golf,
Mercedes ou 4X4 et thalasso en Bretagne.
Une belle collection de cassettes porno et
quelques adresses de bars chauds à Paris et
à Rouen suffisaient quant à elles à assouvir
ses envies printanières. Non, la femme au
foyer ou la maîtresse encombrante, c'était

pas son truc. L'examen des dossiers professionnels et de la correspondance qui leur
était attachée n'ouvrit pas davantage de
pistes que la comptabilité du défunt.

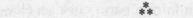

Vendredi 18 octobre

Ce matin-là, il ne fut pas question de
Levasseur. Les collègues des Stups avaient
préparé un flag dans le quartier des Sapins.
Un indic les avait prévenus que l'affaire pouvait se révéler plus délicate que prévu, et ils
avaient demandé main forte à la Crim, un
échange de bons procédés comme cela se
pratique régulièrement, surtout en province.

Depuis plusieurs mois la brigade essayait
de coincer un passeur hollandais soupçonné d'approvisionner le quartier, en particulier les CES du coin et le lycée Gustave-
Flaubert. On venait de ramasser un gosse
dans les toilettes, foudroyé par une over-

dose. Ça suffisait comme ça, il était temps d'arrêter le massacre, et ce salopard par la même occasion. Les gars des Stups savaient que le Hollandais livrait la marchandise le vendredi matin. Il la dissimulait, leur avait-on dit, dans de gros appareils électroménagers qu'il venait faire réparer chez un électricien du coin, lequel entreposait le tout dans sa cave.

Dès neuf heures, les sous-marins débarquèrent avec leurs équipages, et tout le monde se mit progressivement en place – la fourgonnette de la poste, celle de Gaz de France, les poseurs d'affiches, la ménagère avec son holster… le cirque habituel. Peine perdue ! Le type n'arriva que vers midi, seul, sans arme, et se laissa cueillir comme une fleur – et pour cause : il n'avait strictement rien.

L'électricien monta sur ses grands chevaux et se mit à vociférer lorsque le capitaine prononça le mot « perquisition » :

– Vous n'avez pas le droit, je suis un honnête commerçant, ce monsieur est un client, vous devez avoir un mandat.

– La ferme, connard, s'entendit-il répondre par un type qui ouvrait déjà une mallette pleine de tournevis et de pinces dignes de l'équipe d'élite du SAV de chez Darty et qui commençait à s'attaquer à un lave-linge. On n'est pas sur M6, tu la boucles ou je teste la fonction essorage rapide avec toi dedans.

Furieux de s'être ainsi fait piéger comme des gamins, les hommes des Stups se vengèrent en malmenant divers appareils, sectionnant par inadvertance des fils qui gênaient leur travail.

À part quelques grammes de pollen dans les cartes routières du Hollandais – « pour ma consommation personnelle, précisa le bonhomme, ça vient d'Amsterdam » –, ils ne trouvèrent strictement rien.

Et, pour comble de malheur, ce flag aux allures de flop leur fit rater la sacro-sainte heure du déjeuner.

Courtois envers leurs collègues, mais un tantinet agacés par leur inefficacité sur ce coup, Bidart et ses hommes prirent congé et se consolèrent dans un bar du quartier avec un jambon-beurre comme la SNCF elle-même n'ose plus en servir depuis les années soixante.

**

Il était environ quinze heures lorsque Bidart, regardant la machine à café du couloir remplir un gobelet d'un infâme jus prétentieusement surnommé Expresso, vit Morel arriver vers lui d'un pas alerte :

– Ça y est, on a un petit quelque chose sur Levasseur! La gendarmerie de Bacqueville-en-Caux vient de nous appeler. Un type du coin pense avoir aperçu la Mercedes mardi soir, planquée sur le bord d'une petite route. Après avoir entendu parler de l'affaire aux infos régionales, il est allé les trouver. Les gendarmes ont bien confirmé qu'une voiture de ce type avait été stationnée à l'endroit en question. Ils ratissent tout autour.

– Morel, ça vous dirait d'aller respirer un peu d'air marin ?

Quelques minutes plus tard, Bidart enfilait l'autoroute en direction de Dieppe pied au plancher, tandis que son acolyte repérait leur destination sur la carte.

– Vous prendrez après Tôtes la sortie Biville-la-Baignarde ; on tourne à la deuxième à gauche et ensuite à droite. Il faudra repérer un bosquet à la sortie d'un petit pays qui s'appelle Bennetot.

Ce fut inutile. Une fourgonnette bleue et, un peu plus loin, une Laguna ne tardèrent pas à leur confirmer qu'ils étaient dans la bonne direction. La pie de service s'apprêta à leur faire signe que la route était barrée, mais un bref coup de sirène ramena l'homme à de meilleurs sentiments.

André Roussel, le capitaine de gendarmerie, reconnut Bidart de loin et marcha à sa rencontre.

– Bonjour, commandant, on a peut-être quelque chose pour vous ; drôle de meurtre, hein ! On a fait des prises d'empreintes des pneus et on est en train d'établir le procès-verbal de constatation. Apparemment ça colle avec le type de véhicule. On a aussi trouvé un mégot – enfin, le filtre. Stuyvesant Extra Light. Vous pourrez comparer avec les empreintes relevées dans la voiture et peut-être faire une analyse d'ADN. Par contre, il n'y a aucune trace de pas autour de la voiture. À croire que personne n'en est sorti. Ou alors sans chaussures, ce qui serait étonnant.

Morel s'avança :

– Rien ne prouve que le type ait été charcuté ici. Levasseur a peut-être ramassé un auto-stoppeur – ou plutôt une auto-stoppeuse – qu'il a voulu culbuter dans un endroit retiré et ça s'est mal passé…

– Et vous voyez une auto-stoppeuse, simplement parce qu'on lui pince les fesses, assommant le bonhomme, le ficelant, le saignant comme un porc et allant ramener le tout à Rouen? Non, ça ne colle pas!

Après de brèves considérations d'usage sur la beauté de l'arrière-saison, l'exceptionnelle récolte de pommes et le fait qu'un peu de pluie ferait sortir en moins de deux les champignons, Bidart et Morel prirent congé.

Alors qu'ils apercevaient au loin le stop signalant la nationale, Morel se tourna vers Bidart :

– Dites donc, Pierre, vous n'aviez pas parlé de respirer un peu d'air marin? On se fait un petit tour à Dieppe? Je vous offre une glace.

Il était bientôt cinq heures et Bidart considérait qu'ils en avaient suffisamment fait pour la journée.

– Non merci pour la glace, je vous laisse ces gourmandises d'ado, mais OK pour la promenade; ça nous fera du bien.

À la différence de Louis Levasseur et de sa fatale compagne, ils n'allèrent pas sur la plage, mais se contentèrent d'une marche sur la promenade. Le ciel était d'un bleu intense, sans un seul nuage. Un vent léger soufflait du large et quelques cerfs-volants tournoyaient dans les airs. D'incontournables vieillards arborant sur leur maillot de bain l'écusson des Pingouins dieppois s'ébattaient dans les vagues. Une poignée d'enfants faisaient la course sur leurs rollers.

Les deux hommes marchaient les mains dans les poches, goûtant l'idée que le week-end venait de commencer.

– Vous allez à Paris demain ? demanda Bidart.

– Non, j'ai plein de choses à faire chez moi : du rangement, du nettoyage et autres bricoles. Je n'ai pas une petite femme à la maison pour me faire tout ça, moi !

– Ben, il serait temps d'y penser, mon vieux.

– « Mon vieux, mon vieux »... je n'ai que trente-deux ans, j'ai tout le temps !

– Le Christ ne disait pas ça à votre âge ! Et je vous rappelle que, lorsque votre pauvre

père avait votre âge, vous alliez déjà à
l'école.

Morel, qui avait passé toute son enfance
à Colombes, était le fils d'un gardien de la
paix. À l'occasion d'un banal contrôle de
nuit, un chauffard ivre l'avait fauché et tué
sur le coup. Jean décida ce jour-là que lui
aussi serait dans la police. Il rêvait alors
dans sa tête d'enfant de venger cette mort
et de régler leur compte à tous les voyous
et ivrognes de France et de Navarre. Cela
lui passa. Mais sa vocation demeura, et il
aimait sa vie et son métier.

Malgré sept années passées dans la police
depuis sa sortie de l'école des lieutenants de
Cannes-Écluse, il avait à certains égards,
notamment dans sa façon de s'habiller et de
toujours être prêt à rire et à jouer, davantage
les traits d'un adolescent que ceux d'un
homme mûr. Blond, les yeux bleus, les cheveux courts et le crâne déjà quelque peu
dégarni, il plaisait aux femmes : elles
voyaient en lui à la fois un flic solide et cou-
rageux, et, révélé par l'incertitude du regard
à certains moments, un personnage un peu
fragile, égaré dans un univers qui ne semblait pas lui convenir.

En bon fils unique, il allait régulièrement voir sa mère. Il trouvait qu'elle se laissait un peu aller, semblant soudain plus âgée qu'elle ne l'était. Elle aussi aurait aimé le voir se marier, lui donner des petits-enfants. Jean y avait songé, mais n'avait jamais trouvé l'âme sœur. Les petites amies se succédaient, aussi charmantes les unes que les autres. Jamais il n'était amoureux. En épouser une, c'était courir au divorce. Et il ne voulait pas de ça.

– Vous non plus, Pierre, on ne peut pas dire que vous ayez été pressé de vous caser…

– C'est vrai. J'étais même plus âgé que vous quand je me suis marié. Mais j'avais quand même été deux fois en ménage pendant assez longtemps avant de rencontrer Marianne.

Pierre Bidart était venu à la police par des voies bien différentes. Fils de petits bourgeois parisiens, il avait fait son droit à Assas. Il voulait être avocat. Mais peu à peu il avait réalisé qu'il n'avait pas la fibre. S'occuper d'affaires ou de divorces, non merci. C'était le pénal qui l'avait attiré. Mais l'idée qu'il pourrait avoir à défendre des individus dont il connaissait la culpabilité et qu'il condamnait en son for intérieur lui devint aussi peu à peu insupportable. Magistrat ? Là encore, il était conscient de ses faiblesses et savait qu'un jour ou l'autre il risquait de se montrer partial. La vérité est que Bidart n'était pas né à la bonne époque. Il méprisait la démocratie et jugeait sévèrement une société qu'il trouvait particulièrement décadente en cette fin de siècle. Il aurait aimé vivre sous une belle monarchie éclairée. Il avait la plus haute idée de l'honneur, du devoir, de l'obéissance ou encore de la loyauté. Il aurait aimé servir sa patrie pour qu'elle fût grande, brillante, puissante. Il lui sembla qu'il trouverait ces valeurs dans la police.

Après des débuts au SIR de Dijon, il avait demandé à être nommé à Rouen, pour être plus près de ses parents, qui s'étaient retirés à Vernon.

Jamais il ne fit réellement état de ses idées politiques dans son entourage professionnel. Cette face cachée n'était dévoilée qu'à quelques anciens amis de la fac de droit qui partageaient le même idéal. Certes, chacun avait remarqué ses propos parfois sans appel, ce racisme latent qui lui valait parfois un regard mauvais, un sourire où d'aucuns

pouvaient déceler du mépris, mais on rete-
nait surtout de l'homme son sens du devoir
et de l'honneur.

Les deux femmes avec lesquelles il avait
été successivement en ménage avaient surtout brillé par leur caractère effacé. D'où
l'étonnement de ses proches lorsque la pétu-
lante Marianne entra dans sa vie.

Mariée à un cuisinier de Rouen avec qui
elle tenait depuis peu un restaurant derrière
l'hôtel de ville, elle plaqua un beau matin
celui-ci pour suivre le beau commandant
qui venait régulièrement déjeuner chez eux.
Elle emmena avec elle leur fille Alice, qui
avait tout juste quatorze ans. Peut-être
n'aurait-elle pas dû. Martin Scheffer, son
mari, sombra dans une profonde dépression
qu'il tenta d'oublier dans l'alcool. L'affaire
commença de péricliter. Ce fut bientôt la
curée. Banquiers, huissiers, avocats s'en prirent au pauvre bougre couvert de dettes. Un
soir, après avoir baissé les stores et bu quelques verres d'eau-de-vie de trop, il craqua,
ne laissant qu'un petit mot d'adieu à sa fille.
L'apprenti le retrouva au matin dans la cave,
baignant dans une mare de sang.

Veuve et libre, Marianne épousa Pierre un an plus tard. Sans doute eût-il été préférable qu'elle attende un peu. Alice ne supporta pas ce mariage et se referma comme une huître. Elle demanda à aller en pension et y demeura jusqu'à son bac. Elle n'adressa plus jamais la parole à Pierre, se contentant lorsqu'ils étaient ensemble de le regarder fixement, le visage figé dans une expression tout à la fois de tristesse et de haine.

Cela dura cinq ans – jusqu'au jour où Alice eut son bac.

Pierre souffrait de cette relation culpabilisante qu'il trouvait injuste à son égard. Profitant de ses succès scolaires, il se montra particulièrement généreux envers Alice, louant et meublant un studio à Paris pour qu'elle puisse, comme elle le souhaitait, y poursuivre ses études. L'idée était bonne. Ce ne fut pas le grand amour du jour au lendemain, ni même de la tendresse, mais Alice se rapprocha de sa mère et de son beau-père.

Après des études de lettres, elle trouva un emploi chez un libraire du côté de l'hôtel Drouot. Bien que plus de vingt-cinq ans les séparassent, et bien qu'il fût marié, elle devint plus ou moins sa maîtresse. Certes, il y avait dans leur relation plus d'affection que d'amour. Sans doute Alice trouvait-elle en lui un peu du père qui lui faisait défaut. Cette liaison déplaisait autant à Pierre qu'à Marianne. Mais Alice, à vingt-cinq ans, était libre de ses faits et gestes : mieux valait ne pas s'occuper de ses affaires.

Parvenus à l'extrémité de la promenade, les deux hommes s'étaient assis sur un banc pour regarder la mer et laisser papillonner leurs pensées, chacun de son côté. Puis ils avaient fait quelques pas sur la jetée. En contrebas, des pêcheurs préparaient leurs filets pour leur sortie nocturne. De la ville leur parvint le tintement d'une cloche qui annonçait l'angélus. Bidart regarda sa montre.

– Oh là, il est déjà sept heures ! Il faut qu'on y aille. Alice arrive par le dix-neuf heures quarante-six et j'ai promis à Marianne que j'irais la chercher.

À un feu rouge, tandis qu'ils sortaient de la ville, Morel aperçut un traiteur.

– Vous pouvez vous arrêter une seconde, je vais m'acheter mon dîner…

– Vous êtes tout seul ? Venez à la maison.

– Non, c'est gentil, mais je ne vais pas vous déranger, surtout si vous êtes en famille.

Bidart démarra avec le flot des voitures.

– Au contraire. Marianne vous adore, et votre présence nous épargnera une éventuelle colère d'Alice.

– Avec de tels arguments, il est difficile de refuser. Laissez-moi au moins acheter un gâteau.

– On verra…

– Dites-moi, si ce n'est pas indiscret, je croyais que les choses s'étaient arrangées entre Alice et vous.

– Oui, dans l'ensemble. Mais, vous savez, vous la connaissez, Alice est quelqu'un d'imprévisible. Elle est charmante, tout sourire, tout a l'air d'aller bien. Et puis en même temps, au fond d'elle, il y a parfois quelque chose qui ne va pas, comme un orage qui se prépare. C'est alors comme s'il y avait deux Alice. L'une d'elles cherche un prétexte pour faire éclater un conflit. Et comme elle voit tout et qu'elle est très intelligente, elle finit toujours par trouver, même le plus tordu des arguments. Et là, c'est le cauchemar. Ça éclate sans crier gare. On en prend plein la gueule. Elle nous reproche des choses qui n'ont ni queue ni tête. Ça prend des proportions extravagantes. Vous pouvez toujours essayer de calmer le jeu, c'est comme si vous jetiez de l'huile sur le feu ! À la fin, elle part en claquant la porte et va s'enfermer dans sa chambre. Et puis tout d'un coup, une heure, deux heures, trois heures plus tard, elle en ressort comme si rien ne s'était passé. Elle est de nouveau radieuse, gentille et attentionnée… jusqu'à la nouvelle tempête. Il y a en elle l'eau et le feu, le ciel et l'enfer. Drôle de personne ! Mais je vous ai déjà raconté ça cent fois.

– Tout ça se calmera avec le temps. Vous verrez, quand elle sera mariée, qu'elle aura des enfants…

– J'aimerais bien. Mais il faudrait d'abord qu'elle largue cette vieille crevure avec qui elle travaille !

– Vous êtes sûr qu'il y a réellement quelque chose entre eux ?

– En vérité, je n'en sais rien.

Tandis que Bidart stationnait devant la gare, Morel partit vers la rue Jeanne-d'Arc à la recherche d'une pâtisserie encore ouverte. Faute de gâteau, il revint avec des tulipes pour Marianne et un petit bouquet de violettes pour Alice.

– Laquelle des deux cherchez-vous à séduire ?

Les voyageurs du train de Paris commençaient à sortir de la gare. Un grand sac polochon en bandoulière, Alice, occupée à composer un numéro sur son portable, ne les vit même pas. Bidart donna un petit coup de klaxon tandis que Morel ouvrait sa portière :

– Si mademoiselle veut bien prendre place.

– Ah, Jean, c'est sympa que tu sois là. Non, reste devant, je préfère être à l'arrière.

– Bon voyage ?

– Beaucoup de monde, comme toujours le vendredi soir.

– Dis-moi, tu t'es fait couper les cheveux. Ça te va très bien.

– Je voulais ressembler à Jeanne d'Arc. Ça devrait te plaire, non ?

Châtain, le teint mat, les yeux verts légèrement en amande, Alice avait une grâce un peu féline qui seyait d'ailleurs fort bien à

son caractère et à sa manière d'être : agile,
se déplaçant avec la légèreté d'une ombre,
silencieuse, imprévisible, passant du ron-
ronnement au coup de griffe.

Il n'y eut pas de coups de griffe ce soir-là.
Marianne avait préparé un hachis Parmen-
tier, l'un des plats favoris d'Alice, qui parut
aussi très touchée par le petit bouquet de
violettes.

– Quoi de neuf à Rouen ? demanda-t-elle
alors que Marianne apportait la salade.

– Rien de spécial, si ce n'est le joli colis
qu'on a déposé l'autre soir dans la rue d'à
côté ; Marianne a dû te raconter…

Marianne toussota et fit une légère gri-
mace.

– Quel colis, vous avez commandé quelque chose ?

– Non, je dis un colis, mais en réalité c'est
parce qu'il y a un type qui s'est fait trucider
dans sa voiture et que le meurtrier a eu la
délicate attention d'abandonner le tout à
trois heures du matin rue du Puits-Commun. Manque de chance, un toubib est
tombé dessus, et comme il savait que j'habi-
tais ici, il est venu me réveiller en pleine nuit

pour que j'appelle les collègues. T'aurais vu le bonhomme…

– Berk !

Marianne, qui se tenait derrière Alice, faisait signe à Pierre de ne pas s'appesantir sur le sujet. Mais Alice voulut en savoir plus.

– On sait pourquoi l'assassin a fait ça ?

– Aucune idée pour l'instant, mais…

– Eh bien moi, interrompit Marianne qui voulait visiblement changer de sujet, je peux vous raconter des choses beaucoup plus intéressantes. J'ai pris cette semaine ma première leçon de golf.

– Et voilà où part l'argent du ménage, enchaîna Pierre.

Il ne fut plus question de l'affaire Levasseur. Alice raconta que son boss avait acquis en salle des ventes divers livres avec des dédicaces amusantes, notamment l'une de Pierre Louÿs. Elle évoqua aussi le fait que, ne travaillant pas lundi, elle comptait passer la journée à Fontainebleau avec une amie.

Vers onze heures, Jean se leva et commença une phrase de remerciements.

– Vous nous quittez déjà ? demanda Pierre. Un rendez-vous galant ?

Jean croisa le regard d'Alice.

– Non, pas du tout, vous savez bien qu'il n'y a personne dans ma vie.

Fatiguée par sa semaine de travail, Alice monta tout de suite se coucher. Marianne avait débarrassé et terminait la vaisselle lorsque Pierre rentra après avoir raccompagné Jean.

– Dis-moi, pourquoi ne voulais-tu pas que nous parlions de l'affaire Levasseur tout à l'heure ?

– Tu te souviens quand même de la façon dont Martin a mis fin à ses jours. Et puis…

– Et puis ?

Marianne alluma une cigarette.

– Et puis, il faut que tu saches que Levasseur n'est pas un nom qui nous est totalement étranger. C'est pour ça que je ne voulais pas que tu le prononces.

– Comment ça ?

– Lorsque nous avons repris le restaurant, il a fallu faire quelques travaux et nous avons par hasard fait appel à Levasseur. Il nous a fait un travail de sagouin qu'il a essayé de nous facturer au prix fort. Martin et moi nous sommes disputés avec lui. Nous avons fini par transiger, et on n'en a plus entendu parler. Mais lorsque Martin a craqué, après notre séparation, Levasseur en a profité pour venir réclamer ce qu'il considérait comme son dû et s'est mis à aboyer au milieu de toute cette bande de chiens.

– Mais pourquoi ne m'as-tu rien dit ?

– Parce que c'est de l'histoire ancienne que je n'ai pas envie de remuer.

– Oui, mais tu aurais quand même dû m'en dire un mot. Ça prouve que Levasseur n'était pas un type très honnête et qu'il s'est peut-être fait des ennemis parmi ses clients.

II

Lundi 21 octobre

Maître Michel Vincenot hésita longuement entre son costume bleu marine de chez Lanvin et cet autre, anthracite, qu'il avait acheté en solde chez Cerruti. Il opta finalement pour le bleu, qu'il assortit d'une chemise à fines rayures et d'une cravate sombre. L'ensemble seyait à la fois à l'élégance qu'il souhaitait arborer et au deuil qu'il convenait d'y mêler pour accompagner son ami Levasseur dans son dernier voyage.

Il passa à son cabinet donner quelques instructions à sa collaboratrice, la prévenir qu'il ne reviendrait sans doute pas de la journée et signer divers courriers. Il appela aussi son amie Nadia pour lui dire qu'il lui téléphonerait en fin de journée. Puis il descendit au parking, regarda d'un air satisfait sa BMW toute neuve. L'instant d'après, il filait en direction de l'autoroute de l'Ouest.

Les parents de Levasseur possédaient une petite maison à Hauville, non loin de Bourg-Achard. C'est là qu'avait lieu l'enterrement. Beaucoup de monde était venu lui rendre un dernier hommage. Ses amis, bien sûr, comme Bonneval, le promoteur immobilier avec qui il avait parfois travaillé, Vincenot, l'avocat, Philippe Duparc, le notaire, ses compagnons de chasse et tant d'autres. Certains, comme Marc Auvray, étaient même venus depuis la région parisienne pour assister à cette brève cérémonie.

Cinquante, peut-être cent personnes suivirent après la messe le cercueil jusqu'au cimetière à la sortie du pays. Quelques journalistes de la presse locale étaient là, et, bien sûr, quelques policiers en civil qui photographiaient discrètement tout ce petit monde. Pourtant, aucun cliché ne montra cette jeune femme rousse qui dut accoster Michel Vincenot alors qu'il s'apprêtait à prendre place dans sa BMW pour rentrer à Rouen. La connaissait-il, et est-ce pour cela qu'il la laissa monter sans difficulté à côté de lui ? Mystère. Personne ne saura non plus ce que cette jeune femme demanda ou proposa à Vincenot pour qu'au lieu d'emprunter tout naturellement l'autoroute jusqu'à Rouen il traverse la Seine avec le bac à La Bouille et s'enfonce derrière Sahurs dans la forêt de Roumare. Le scénario ne fut sans doute pas très éloigné de celui qui avait coûté la vie à Levasseur.

Ce fut un cantonnier coupant à travers bois qui, le mardi au petit matin, aperçut la voiture sur un chemin forestier non loin du lieu-dit Le Rond-de-la-Martel.

Une cordelette de nylon aux chevilles, une autre autour du cou passée derrière l'appuie-tête, Vincenot, un large sparadrap d'une oreille à l'autre, avait les deux poignets ligotés au volant et profondément entaillés.

Affolé, l'homme se précipita jusqu'au village voisin du Val-de-la-Haye pour donner l'alerte.

À peine dix minutes plus tard, un équipage de la sécurité publique dévalant depuis les hauteurs de Maromme arrivait sur

place. Le brigadier Florimont fit immédiatement le rapprochement et appela le central, déclenchant le même processus que
pour Levasseur. À ceci près que, cette fois-
ci, Bidart était de service et se précipita sur
place, accompagné de Martine Lorbach. La
jeune gardienne de la paix réprima difficilement un haut-le-cœur en voyant le corps
de Vincenot maculé de sang. L'équipe de
l'Identité judiciaire et le légiste venaient
d'arriver et se mettaient au travail. Le procureur, intercepté sur son portable alors
qu'il s'apprêtait à entrer dans le parking du
palais de justice, arriva à son tour. Le diag-
nostic ne fut pas long à établir.

L'homme, qui avait tous ses papiers sur
lui, s'appelait Michel Vincenot. Demeurant
rue de l'Ancienne-Prison – un nom prédes-
tiné pour un avocat – à deux pas de la place
du Vieux-Marché, il avait son cabinet rue
Thiers, près de l'hôtel de ville.

À vue de nez, la mort remontait à un peu
plus de douze heures. Sans doute avait-il,
lui aussi, été frappé sur la nuque, mais il
s'était lui-même sérieusement blessé en se
débattant comme un beau diable. La
poudre vaporisée sur les poignées des portières et sur les commandes des lève-vitres

ne révélèrent aucune empreinte. Le meurtrier avait pris soin cette fois-ci d'effacer
toute trace avec un chiffon avant de prendre
congé.

Raffinant sa mise en scène, il avait laissé
la radio allumée, branchée sur France-
Musique, et la batterie de la voiture commençait à faiblir.

Mais outre l'absolue similitude des meurtres, trois indices constituaient véritablement la signature de l'assassin : la même
cordelette de nylon torsadée rouge et blanc,
le même nœud marin très complexe, dit « en
diamant », et, noué autour du volant cette
fois-ci, un petit ruban de tulle blanc. Le
chemin forestier, damé de tout-venant bien
sec, ne révéla aucune empreinte de pas.

L'officier de PJ qui avait pris la situation
en main s'approcha de Bidart :
– Tout est en ordre, commandant. Je vous
ferai transmettre tous les PV dans la journée.

Pas mécontente de quitter les lieux, Martine Lorbach se dirigeait déjà vers la
Mégane de la brigade. Les hommes de Florimont ne purent s'empêcher de regarder

cette jolie silhouette roulée comme une playmate avec sa queue de cheval blonde. Ah, si on avait quelques collègues comme ça au commissariat de Maromme…

– Alors, Martine, qu'en dites-vous ?
– Je persiste et signe : c'est une femme qui a fait le coup.
– Explication ?
– C'est cruel, raffiné, bien pensé, avec le souci du détail.
– Belle conception de la féminité !
– Vous savez, commandant, on dit toujours que, lorsqu'une femme fait bien quelque chose, elle le fait mieux qu'un homme.
– Et c'est quoi, ce « quelque chose », dans le cas présent ?
– Un règlement de comptes, une vengeance. Le criminel ne veut pas seulement tuer, il veut aussi faire souffrir, faire payer. Vous imaginez ce qui a dû passer dans la tête de ces pauvres types pendant qu'ils se voyaient en train de perdre leur sang !
– Il paraît, m'a dit le légiste, qu'à la fin on ne sent plus rien, comme si on s'endormait.
– Quand même !

Bidart semblait retrouver sa bonne humeur pour la première fois depuis la semaine précédente.

– Homme ou femme, je n'ai pour ma part encore aucun avis, dit-il, mais une chose est sûre, c'est qu'en fouillant les relations qu'il y avait entre les deux hommes on va nécessairement trouver une ou plusieurs pistes.

– Pas sûr !

– Martine, j'adore votre optimisme.

– Imaginez qu'il s'agisse tout simplement d'un psychopathe, d'une espèce de tueur en série qui aurait trouvé dans la rue le carnet d'adresses d'une personne connaissant les deux victimes et qui n'en serait qu'à ses débuts…

– Vous divaguez, ma petite ! Levasseur connaissait son meurtrier, le fameux M.B., puisqu'il avait rendez-vous avec lui et qu'il l'avait rencontré une ou deux fois la semaine précédente. Et puis, il y a autre chose qui devient intéressant.

– Le voile de mariée ?

– Exact, ainsi que le nœud bizarroïde. C'est un message. Ça veut dire que l'assassin tient à confirmer qu'il est l'auteur des deux crimes. Autrement dit, qu'il communique avec nous. Et en cela, je suis d'accord avec vous, c'est sans doute un malade.

– Et s'il continue, je mets ma main au feu qu'il persistera à nous laisser les mêmes indices, et peut-être d'autres encore.

Lorsqu'ils arrivèrent rue Brisout-de-Barneville, Morel vint à leur rencontre.

– J'ai appelé le cabinet d'avocats ou travaillait Vincenot. La secrétaire m'a confirmé qu'il était bien hier aux obsèques de Levasseur, qui était un de ses amis. Elle m'a aussi dit qu'il avait une copine attitrée, une certaine Nadia Delpire. Cette Nadia a d'ailleurs téléphoné la nuit dernière pour signaler la disparition de Vincenot, qu'elle devait retrouver hier soir. Elle voulait savoir s'il n'avait pas été victime d'un accident. On vient de la prévenir. Elle sera là à quatorze heures. J'ai aussi dit à la secrétaire que nous passerions cet après-midi vers seize heures. Je lui ai demandé de ne laisser entrer absolument personne dans le bureau de Vincenot avant que nous ayons fait relever les empreintes. J'ai d'ailleurs demandé la même chose à Nadia Delpire. Malheureusement, comme elle avait la clé de l'appartement, elle y est déjà passée ce matin. Elle m'a dit qu'elle n'avait rien remarqué et qu'elle n'avait d'ailleurs touché à rien.

– Bon, je vais la recevoir. Il ne faut pas qu'on perde de temps sur ce coup. Le cinglé s'apprête peut-être déjà à en taillader un autre. Vous, Jean, vous irez au cabinet de Vincenot. Carnet de rendez-vous, répertoire, dossiers en cours, liste des types qu'il a pu faire condamner, etc. Martine, vous ne travaillerez pas sur ce dossier cet après-midi. Il faut aussi avancer dans l'affaire des antiquaires de la rue Damiette. Il y a encore eu une plainte déposée contre Wallenbaum. Je suis sûr que ce salopard est en cheville avec le type qui a été arrêté dimanche à Paris au marché Serpette. Essayez d'en savoir un peu plus sur son emploi du temps de la semaine dernière.

Nadia arriva avec la ponctualité du Neuchâtel-Lausanne. Brune, grande et mince, plutôt élégante, elle portait de larges lunettes de soleil pour dissimuler ses yeux gonflés par les larmes. C'était le genre de femme qui plaisait à Bidart. Sait-on jamais… Elle travaillait dans une parfumerie de la rue du Gros-Horloge, ce qui expliquait sans détour le puissant bouquet de notes fleuries qui la précédait ce jour-là et qui troublait quelque peu le commandant, tout comme le regard qu'elle sembla lui porter lorsqu'elle retira ses lunettes.

Après les quelques phrases de circonstance et les excuses d'avoir à aborder ce douloureux entretien, Bidart entra dans le vif du sujet.

Divorcé lui aussi, mais depuis moins longtemps que Levasseur, Vincenot n'avait pas d'enfants et apparemment pas de famille dans la région. Après sa séparation, il avait passé quelques joyeuses années de célibataire. Tout cela avait bien sûr pris fin, du moins c'est ce que disait Nadia, lorsqu'ils s'étaient rencontrés voilà tout juste un an.

Elle le décrivit comme un brillantissime avocat, un homme cultivé, généreux, courtois, qui avait de bonnes manières et, en somme, toutes les qualités de la terre. D'ailleurs, tout le monde l'adorait.

– Vous connaissiez monsieur Levasseur, j'imagine?

– Oui, un peu.

– Auriez-vous l'amabilité de parcourir son carnet d'adresses et de mettre une petite croix au crayon devant les noms des personnes que Michel Vincenot connaissait aussi?

Bidart se leva pour prendre le carnet sur une étagère et le tendit à Nadia. Tandis qu'elle parcourait les pages, il était resté derrière elle et regardait ses cheveux fins où un rayon de soleil réveillait de légers reflets roux. Il imagina les mille et un produits de soins que ce genre de femme devait utiliser pour son visage, pour ses mains, pour ses cheveux, pour son corps, dans son bain... Ah, ce corps! Il humait à pleins poumons son parfum. Il lui semblait reconnaître des notes de chèvrefeuille, de rose, d'agrumes. Comme pour mieux voir le carnet au fur et à mesure qu'elle cochait des noms, il s'inclina vers elle. Une espèce de désir fou montait en lui, il s'imaginait en train de l'embrasser derrière l'oreille, comme ça, là, tout de suite.

– Celui-là, oui, c'est même un bon ami ; lui, je crois que Michel le voyait il y a très longtemps ; celui-là, c'est plutôt une relation d'affaires…

Nadia avait déjà coché une vingtaine de noms lorsqu'elle arriva à la page des M. Elle marqua soudain un temps d'arrêt, sembla parcourue d'un léger frisson et tourna la page immédiatement. Elle eut la même réaction à la page N.

Bidart avait vu ce qui l'avait troublée. À la page des M, on pouvait lire « Marushka – dlp Nadia D. (Veuve Clicquot) : 02 35 88 28 42 ». Et à la page suivante : « Nadia. Canard Duchesne rosé. Port. 06 07 73 28 40 ».

Bidart fit mine de ne rien remarquer. Il repassa derrière son bureau et regarda par la fenêtre. Il revoyait le réfrigérateur de Levasseur dans la porte duquel se trouvaient trois ou quatre bouteilles de Veuve Clicquot, une marque identifiable entre toutes avec son étiquette orange. De plus, avec son caractère un peu vineux, c'était un de ses champagnes favoris.

Il aperçut Martine Lorbach en bas dans la rue qui parlait avec un motard. Toutes les mêmes ! Lorsqu'il se retourna, Nadia lui tendit le carnet.

– Soyez gentille, parcourez-le une nouvelle fois, il y a peut-être des noms qui vous
ont échappé. C'est très important pour
nous, ce que vous faites. D'ailleurs, je vous
en laisse le temps, il faut que j'aille dire un
mot à la secrétaire.

À peine sorti, il nota sur son carnet les
deux numéros de téléphone qu'il avait
mémorisés. Dans le même temps, Nadia
griffonnait quelque chose par-dessus son
nom et sur le numéro de portable.

Lorsque Bidart ouvrit la porte, elle avait
reposé le carnet sur le bureau et remis ses
lunettes de soleil.

– Vous aviez raison, commandant, il y a
deux ou trois noms qui m'avaient échappé.

Bidart reprit son interrogatoire. Mais il
n'apprit pas grand-chose de plus. Visiblement, Nadia était troublée et se tenait sur
la réserve. Ce n'était pas le bon jour pour
essayer d'en savoir plus, et en particulier
pour évoquer les relations qui avaient pu
exister entre Vincenot et Levasseur.

– Il ne me reste qu'à vous remercier de
vous être si vite dérangée. Compte tenu des

circonstances, il faudra que je me rende rue
de l'Ancienne-Prison dès cet après-midi.

– Je vais vous laisser mes clés.

– Je crains que ce ne soit pas suffisant. Il
conviendrait que vous soyez présente lors
de notre passage, ainsi qu'une autre personne de votre choix.

– Mais c'est une perquisition !

– La routine, mademoiselle, et nous
sommes tenus d'agir dans le respect de certaines règles assez contraignantes, je le
reconnais. Mais du moment que deux
témoins nous accompagnent, vous n'êtes
pas obligée quant à vous d'être présente.

Nadia ne put retenir un hochement de la
tête et une petite moue qui voulait dire :
« Vous êtes vraiment gonflés. »

– Tenez, dit-elle en ouvrant son sac, je
vous donne mes clés ; j'en ai un autre jeu.
Vous n'aurez qu'à les laisser à l'intérieur en
partant. Et prenez qui vous voulez pour
assister à votre descente. Vraiment…

Elle se leva, mais parut soudain chanceler
et se rassit aussitôt. Retirant ses lunettes
pour les poser sur le bureau, elle plongea
son visage dans ses mains et se mit à san-

gloter de tout son corps. Elle essayait de parler sans y parvenir. Bidart lui posa la main sur l'épaule.

– Allons, calmez-vous. C'est normal de craquer, vous avez été très courageuse.

Elle finit par se détendre, essuya longuement ses yeux, se moucha profondément et remit ses lunettes.

– Mais commandant, qui a fait ça, pourquoi ?

– Pour vous parler franchement, mademoiselle, nous n'avons aucune piste pour l'instant. Mais je peux vous affirmer que nous allons tout mettre en œuvre pour trouver l'assassin.

– Mais pourquoi Michel ? Pourquoi cette horrible mort ?

– Peut-être une vengeance.

– Je vous ai dit que tout le monde l'adorait, qu'il n'avait aucun ennemi ! Quelques petits défauts, comme tout le monde, mais rien qui mérite un tel crime.

Elle avait maintenant retrouvé son calme. Elle se moucha de nouveau.

– À quels petits défauts pensez-vous ?

– Mais rien... Il aimait un peu frimer, jouer les playboys. Il aimait gagner de l'argent, faire des affaires. Mais ce ne sont pas de vrais défauts, tout ça !

– Il ne vous a jamais parlé d'ennuis qu'il aurait pu avoir avec des gens qu'il aurait fait condamner ?

– Mais jamais ! Michel plaidait uniquement pour des sociétés, de grosses compagnies ; il n'a jamais fait envoyer quiconque en prison !

– Bon, écoutez : maintenant allez vous reposer ; si demain ou plus tard quelque chose vous revient à l'esprit, appelez-moi.

Il la raccompagna jusqu'au palier.

– Allons, courage.

À peine eut-elle descendu quelques marches qu'il se retourna et entra dans le bureau des secrétaires.

– Yvonne, je sais que ce n'est pas le boulot du service administratif, mais, à titre exceptionnel car je n'ai personne sous la main, pourriez-vous avoir la gentillesse de me trouver immédiatement les coordonnées de la personne qui a ou avait ce numéro de téléphone ? Il s'agit en principe d'une certaine Marushka, mais je suis sûr que ce n'est pas son nom. Vérifiez aussi si ce numéro de portable existe toujours au nom de Nadia Delpire. Demandez aussi aux RG s'ils ont quelque chose sur ces deux créatures.

Morel venait d'arriver.

– Alors, Jean, bonne pêche?

– À voir… Je vous offre un Coca et on va dans votre bureau?

– Comment pouvez-vous boire des trucs pareils? Si j'ai le choix, je préfère un Perrier. Alors, racontez.

– Je vous passe les larmes, les sanglots et les considérations des secrétaires. Encore que cela ne soit pas inintéressant. Visiblement, ce Vincenot était beau gosse et chaud lapin, et je ne serais pas étonné qu'il ait eu quelques aventures au bureau. À part ça, il est unanimement décrit comme un type sympa, sans histoire; le genre un peu frimeur.

– Et ses relations avec Levasseur?

– J'allais y venir. Les deux hommes se connaissaient. Vincenot était le conseiller juridique de Levasseur. Il aurait été son avocat dans deux ou trois affaires sans grande importance mais qui montrent que Levasseur était un peu fripouille sur les bords. À part ça, rien de spécial, si ce n'est un projet de golf à Saint-Pierre-l'Abbaye, vous savez, près de Forges-les-Eaux, ce village où l'on tourne parfois des films de cape et d'épée.

– Oui, bien sûr. Et c'était quoi, ce projet de golf ?

– Personne n'était très au courant au cabinet, et il n'y a aucun dossier à ce sujet. L'un des associés m'a simplement dit qu'il croyait savoir que la Sogestim était aussi dans le coup, mais qu'apparemment ça ne se faisait pas.

– Vous avez les carnets de rendez-vous et répertoires ?

– Affirmatif !

– On demandera à Martine de nous éplucher tout ça et de croiser les noms avec ceux du carnet de Levasseur.

– Rien d'autre ?

Yvonne frappa tout en entrant dans le bureau. À une poignée d'années de la retraite et après trente ans de bons et loyaux services à la police, elle prenait ses aises. Blonde, arborant une coiffure recherchée, sinon trouvée, des lunettes de star et une poitrine calibre Cadillac 1955, elle considérait qu'elle était désormais une personne importante et qu'on lui devait le respect. En outre, elle tutoyait systématiquement les jeunes et appelait tous les gradés de la maison par leur prénom – y compris le commissaire principal Talmont.

– J'ai trouvé pour vos deux souris, Pierre. Le portable était effectivement au nom de Nadia Delpire, mais la facturation était au nom de feu votre ami Levasseur. Il a été résilié il y a un peu plus d'un an. Quant à l'autre numéro, il n'a jamais été au nom d'une quelconque Marushka, mais sur liste rouge, au nom d'un certain Pierre-Ange Lucchini. L'abonnement a été résilié il y a environ quinze jours par une lettre recommandée postée à Avignon. L'adresse correspondant à ce numéro était le 10, rue Beffroy. Je dis «était», car j'imagine que s'il a résilié sa ligne, c'est qu'il a dû filer. Les RG n'ont rien sur la dame Delpire. Rien non plus évidemment sur la dénommée Marushka. Par contre, votre Pierre-Ange Lucchini a été mêlé il y a une dizaine d'années à des affaires de proxénétisme et de vols de voitures à Toulouse. Il a fait deux ans de tôle. Ils nous envoient la fiche par fax dans un quart d'heure.

– Yvonne… vous êtes irremplaçable !

– Je ne le sais que trop, commandant, et j'entrevois un avenir difficile pour vous lorsque je ne serai plus là.

D'un geste qui n'appartenait qu'à elle, elle pivota sur ses talons comme une toupie et sortit du bureau aussi vite qu'elle y était entrée.

Morel leva les yeux au ciel :

– Un de ces jours, elle va se gerber devant nous, ça ne va pas être triste…

– Du respect, Morel, elle pourrait presque être votre grand-mère !

Bidart vida sa canette de Perrier, puis la froissa et la jeta dans la corbeille.

– Eh bien, mon petit Jean, voici une affaire qui m'a tout l'air de bien démarrer.

Il regarda la pendule murale et se leva.

– Bon, on va aller jeter un coup d'œil chez l'avocat. Prenez un homme pour nous accompagner et retrouvez-moi en bas à la voiture.

La gardienne de l'immeuble voisin et le mari de la marchande de journaux furent trop contents d'être sollicités pour assister à la perquisition. Ça se passe comme dans les articles de *Détective*, commenta d'ailleurs la gardienne, histoire de montrer qu'elle mesurait l'importance de la situation.

Pièces basses de plafond, poutres et pierres apparentes, tentures sombres, lumières tamisées, l'appartement de Vincenot, qui occupait le premier étage d'un petit hôtel particulier, avait tout de la tanière du playboy, et, à l'évidence, un décorateur était passé par là.

Le qualificatif «un peu frimeur» lui convenait effectivement très bien. Des écrans vidéo dernier cri dans chaque pièce, des enceintes du sol au plafond, quelques toiles abstraites au milieu desquelles trônait sans complexe son portrait en pied, quantité de catalogues d'expositions sur les tables basses, une cuisine design marbre et inox, une baignoire ronde et un lit plus large que long couvert de fourrures... rien ne manquait !

Le voyant du répondeur clignotait. Bidart rembobina la cassette à fond pour écouter tous les messages. Une quinzaine d'appels de Nadia remontaient à moins de vingt-quatre heures. Apparemment Vincenot

n'avait pas dû être beaucoup là pendant le
week-end, à en juger par les quelques messages de copains qui ne laissèrent que leur
prénom, demandant qu'il les rappelle.
Bidart retira la cassette et la glissa dans la
pochette de sa chemise.

Pendant ce temps-là, respectueusement,
mais non moins consciencieusement, Morel
et le gardien de la paix réquisitionné
ouvraient un à un tous les tiroirs et placards
de l'endroit, sous l'œil gourmand des deux
témoins.

Bidart se laissa tomber dans l'un des pro-
fonds fauteuils de cuir du salon et se frotta
le menton tandis qu'il regardait fixement le
portrait en face de lui.

– Faut quand même pas manquer d'air
pour s'afficher comme ça, lâcha Morel.

Mais Bidart était ailleurs et ne répondit
pas.

– Sacré Nadia! Elle commence par se
taper Levasseur. Puis, quand elle rencontre
l'avocat, elle se tire avec lui et essaye de
devenir sa maîtresse officielle, histoire de
blanchir son passé de demi-mondaine.
Levasseur étant alors en manque, elle lui
refile une pute de ses copines, la dénom-

mée Marushka, qui est sous la protection de Pierre-Ange Lucchini. Vincenot et Levasseur, qui restent bons copains, mettent leurs relations féminines à profit pour organiser quelques petites soirées coquines, peut-être même avec d'autres amis à eux et d'autres copines de Nadia. Entre alors en scène Lucchini, qui a entrevu la possibilité de faire chanter tout ce beau monde. Et comment s'y prend-il, mon cher Jean, question à 10 francs?

— Il fait des photos ou des films.

— Évidemment! D'autant que Nadia ayant les clés de l'appartement... Et vous observerez d'ailleurs qu'elle a deux jeux, ce qui, a priori, n'a pas de raison d'être, et peut donc nous laisser supposer que c'est elle qui a fait faire un double. Manque de chance pour tout le monde, les types ne chantent pas. L'affaire se complique et prend de l'importance pour des raisons que nous allons bientôt découvrir... et Lucchini passe à l'action.

— Ou Marushka.

— Non, pas dans ce contexte. Peut-être a-t-elle simplement servi d'appât. Mais au fait... nom de Dieu! Comment n'y avais-je pas pensé plus tôt? M.B. dans le carnet de

Levasseur… M pour Marushka! Qui sait?
Quoi qu'il en soit, pour l'instant tout ça se
tient, et si la piste est bonne, il doit forcément y avoir des traces. Jean, il faut qu'on
fouille un peu plus l'endroit. Vincenot a certainement dû cacher deux ou trois choses
pour que la bonne ne tombe pas dessus, des
choses qui sans doute nous intéressent.

Bidart avait vu juste. Moins d'une heure
lui suffit pour découvrir entre les pages d'un
gros livre d'art placé sur le plus haut rayon
d'une bibliothèque une demi-douzaine de
photos qui révélaient sans la moindre ambiguïté la nature de certaines soirées de la rue
de l'Ancienne-Prison.

On y reconnaissait Vincenot, Nadia,
Levasseur, un autre type de profil et un
quatrième, malheureusement de dos. De
même, si l'on discernait clairement le visage
d'une des filles, une assez jolie blonde de
type bulgare, les deux autres offraient surtout une vue de leur arrière-train, certes fort
plaisante, mais qui rendrait leur identifica-
tion plus difficile.

L'auteur de ces jolis clichés avait été à
l'évidence discret. L'arrière-plan des photos
montrait qu'elles avaient été prises depuis

la salle à manger. Il était donc nécessairement entré dans l'appartement en passant
par la porte de la cuisine qui ouvrait sur un
petit escalier de service. Il n'avait bien sûr
pas utilisé de flash, mais des émulsions à
très haute sensibilité en raison de la faible
lumière ambiante. Cela donnait beaucoup
de grain aux clichés, eux-mêmes d'assez
mauvaise qualité car certainement tirés par
un amateur, mais on reconnaissait suffisamment trois des hommes pour qu'il y ait
là de quoi les faire chanter.

Détail intéressant : sur l'une des photos,
on apercevait sur la table basse un titre de
journal couvrant toute la première page :
« Aimé Jacquet, héros du Mondial ! » En
clair, les clichés remontaient à tout juste
trois mois.

Poursuivant les recherches, Morel fit une
seconde découverte intéressante. Dans la
penderie au bas de laquelle étaient rangées
au moins une vingtaine de paires de chaussures, il trouva au fond d'une botte d'équi-
tation bourrée de papier journal un Smith
& Wesson 7,65 ainsi qu'une poignée de cartouches.

Il était près de huit heures lorsqu'ils quit-
tèrent l'appartement, emportant leur butin
dans des pochettes en plastique – ayant bien
sûr soigneusement manipulé ces différentes pièces avec des gants de coton. Les
témoins commençaient à trouver la plaisanterie un peu longue, d'autant que, can-
tonnés dans un coin de l'appartement, ils
n'avaient pas pu entendre les commentaires
des policiers qui s'exprimaient à voix basse,
et encore moins voir les croustillantes photos.

Morel regarda sa montre. Il était encore
temps de filer au Gaumont, où l'on donnait
le dernier Spielberg.

Bidart, lui, rentra rue Victor-Morin.
Marianne venait de raccrocher le téléphone
après avoir longuement écouté Alice lui
parler de sa journée à Fontainebleau.

D'une casserole en fonte émaillée s'échappait un parfum que Bidart reconnut tout de
suite, celui d'une brandade de morue, une
des spécialités de Marianne qu'il adorait.

III

Lorsque Jean Morel et Martine Lorbach arrivèrent dans les locaux de la brigade criminelle, Bidart était déjà là depuis plus d'une heure. Réveillé avec le jour, levé de bon matin, il avait eu envie de retrouver au plus vite son bureau et ses dossiers. Il voulait faire avancer cette affaire sans tarder, persuadé que le tueur allait encore frapper.

La presse régionale commençait à monter l'affaire en épingle. Alors qu'il aurait voulu garder secrets certains aspects de ces deux crimes, quelques indiscrétions avaient déjà filtré. L'un des journaux n'avait pas hésité à titrer en première page : « Le sadique au voile de mariée saigne ses victimes à mort ! »

– Foutaises ! s'était-il exclamé en parcourant l'article qu'agrémentait une photo

de la forêt de Brionne et une autre sur
laquelle on pouvait voir Fernanda Almeira
devant la maison de Bois-Guillaume.

La relecture de tous les PV et autres rapports ne lui avait rien révélé de plus que
la veille et l'avant-veille. Certes, l'hypothèse du maître chanteur qu'il avait for-
mulée lors de la visite chez Vincenot était
bien ficelée, mais il sentait confusément
qu'il y avait dans cette affaire quelque
chose de plus compliqué qui ne lui était
pas encore apparu. N'empêche, il fallait
avancer. Et comme chacun sait qu'un con
qui marche va toujours plus loin qu'un
intellectuel assis, Bidart cheminait avec
les éléments qu'il possédait et les moyens
qui étaient les siens pour l'heure. Il décida
tout d'abord de rédiger une diffusion
nationale des faits : nature des homicides,
indices, etc. Sait-on jamais ? Le tueur avait
peut-être quitté Rouen avec cutters et
bagages pour aller poursuivre son œuvre
ailleurs.

D'autre part, tandis que Martine éplu-
cherait les carnets de rendez-vous des
deux victimes pour en extraire toutes les

adresses communes, lui irait flairer du côté de la rue Beffroy.

Située derrière le musée des Beaux-Arts, cette petite rue pavée fut à certaines époques considérée comme l'une des rues chaudes de Rouen, quelques créatures felliniennes racolant après la tombée du jour.

Bidart connaissait bien l'endroit, non pour cette raison, mais parce que, bon marcheur, il lui arrivait souvent de sortir à pied plutôt qu'en voiture. Plus d'une fois, ses pas l'avaient mené dans cette rue bordée de maisons à colombages, souvent ornées de sculptures, où se trouvait un restaurant qu'il affectionnait tout particulièrement. Un endroit calme et feutré dont la patronne, une certaine Gertrude Stahl, préparait une admirable cuisine de « bonne femme ».

Point de chichi dans la présentation des plats, point de noms incompréhensibles et prétentieux à la carte, mais une vraie cuisine généreuse et voluptueuse : des casso-

lettes de moules au cidre, de la lotte Vallée
d'Auge, un canard de Duclair rôti et déglacé
au pommeau ou encore des tartes Tatin à
vous expédier en quelques tours de fumets
au paradis.

L'endroit, avec ses petites salles, ses vieilles
poutres et ses crépis ocres, rappelait à
maints égards Les Compagnons du Tour, le
restaurant qu'avait tenu ce pauvre Martin
Scheffer, et c'est pour cette raison que
Bidart n'y emmenait jamais Marianne et
encore moins Alice. Il y venait tout seul deux
ou trois fois par an. Il apportait un livre,
l'un de ceux qu'il ne montrait pas au bureau,
se laissait aller à prendre une bouteille
entière d'un de ces rieslings ou autres
grands crus d'Alsace dont Ernest Stahl avait
le secret, et il passait ainsi deux bonnes
heures à goûter un moment hors de sa vie.
Il retrouvait cette impression de liberté qu'il
avait connue précisément à l'époque où il
venait déjeuner dans le restaurant de
Marianne. Il n'avait alors que quarante ans
et pouvait encore imaginer que de nouvelles
vies s'offriraient à lui s'il le voulait. Il aurait
pu quitter la police et essayer de trouver un
métier qui lui eût permis d'aller vivre dans
un pays d'Orient. Des années auparavant, il

avait fait un voyage à Istanbul et en était tombé véritablement amoureux. Marcher sur les traces d'un Pierre Loti... Voilà le genre de vie qu'il aurait aimé avoir.

Le 10 de la rue Beffroy était une étroite maison de trois étages décorée d'une élégante sablière à cartouche et datant probablement du XVIIᵉ siècle, que le propriétaire avait divisée en studios.

Utilisant son passe, le même que celui des facteurs, Bidart poussa la porte d'entrée qui donnait sur un obscur couloir.

Six boîtes aux lettres étaient alignées sur le mur. Cinq d'entre elles portaient le nom des locataires à qui elles appartenaient. La sixième, correspondant à l'appartement numéro 5, n'avait plus d'étiquette.

À tout hasard, il appuya sur l'une des sonnettes de l'interphone. Personne ne répondit, et il en fut de même avec la deuxième. À cette heure-ci, les occupants devaient être au travail. Mais une voix de femme répondit à la troisième tentative.

– C'est qui ?

Bidart se pencha pour lire le nom griffonné sur l'étiquette :

– Madame Chassenard ?

– Oui, c'est moi.

– Commandant Bidart, de la sécurité publique; nous procédons à une enquête sur l'un des occupants de l'immeuble, pourriez-vous m'accorder un instant?

– Qui me prouve que vous êtes de la police, monsieur?

La voix était celle d'une femme âgée.

– Descendez sans ouvrir la porte, je vous montrerai ma carte de policier.

– C'est que je suis en train de me préparer. Pouvez-vous attendre cinq minutes?

– Pas de problème.

Ne voulant pas rester enfermé dans cet étroit corridor, Bidart sortit faire trois pas jusqu'à l'église Saint-Godard. La porte était ouverte et l'on pouvait entendre un musicien jouer de l'harmonium. Il serait bien entré, mais d'autres occupations l'attendaient et il retourna à la rencontre de madame Chassenard.

Rassurée par la carte d'officier de police et l'allure respectable de Bidart, elle ouvrit la porte de verre fumé qui menait à l'escalier.

– Il y a eu quelque chose dans l'immeuble, monsieur l'inspecteur? demanda-t-elle, déjà tout émoustillée.

Bidart n'osa pas lui rappeler que le titre d'inspecteur n'existait plus de nos jours.

– C'est au sujet d'une ou deux personnes qui ont dû quitter les lieux récemment, un certain Pierre-Ange Lucchini et une de ses amies prénommée sans doute Marushka. Ça vous dit quelque chose ?

Le visage de la vieille s'illumina.

– Bien sûr! Ils étaient charmants, ces petits jeunes. Ils habitaient l'appartement numéro 5, juste au-dessus de chez moi. Qu'elle était jolie, cette jeune femme, toujours bien habillée, gentille, attentionnée! Et lui aussi, c'était un gentil garçon, toujours prêt à rendre service. Au début, avec sa grosse moto qui pétaradait et ses habits de cuir, il me faisait un peu peur. Mais en voilà un qui portait bien son nom, enfin son prénom, je veux dire. Il ne leur est rien arrivé, j'espère? Vous voulez monter, inspecteur? C'est un peu en désordre, vous ne m'en voudrez pas, c'est comme ça, une vieille dame, mais on sera mieux.

Bidart eut un léger haut-le-cœur en entrant dans le studio : cela empestait le chat. Deux bestioles étaient d'ailleurs confortablement vautrées sur le canapé.

– Allons, mes chéris, laissez la place à ce monsieur… il est de la police. Vous voyez, répéta-t-elle, c'est comme ça, les vieilles dames qui vivent seules, ça finit par parler à des chats toute la journée. Et rien qu'à les regarder, je sais qu'ils me comprennent et qu'ils me répondent. Mais excusez-moi, inspecteur, vous vouliez que je vous donne des renseignements sur ces charmants jeunes gens ; que voulez-vous savoir ?

Bidart apprit qu'ils étaient arrivés voilà dix-huit mois. Elle était d'origine hongroise et lui était de Marseille, bien que sa famille fût corse. Marushka disait travailler pour des magazines de mode à Paris, tandis que Lucchini prétendait être dans le tourisme. De tels métiers justifiaient l'absence d'horaires fixes et de fréquents déplacements. C'était un couple sans histoire, sinon quelques disputes parfois.

– Mais il paraît qu'ils sont tous comme ça en Corse, très autoritaires. Alors quand la petite sortait du droit chemin, je peux vous dire que ça bardait… Des hurlements ! Mais le lendemain tout était fini. On est comme on est, hein ?

Bidart, sentant qu'il n'apprendrait plus rien, se leva et prit congé, retrouvant avec bonheur l'air pur de la rue.

⁎
⁎ ⁎

À peine était-il sorti de l'ascenseur rue Brisout-de-Barneville qu'Yvonne l'interpella :

– Pierre, le commissaire Talmont souhaite vous voir immédiatement. Il est dans son bureau.

La porte était entrouverte.

– Entrez, Bidart. Je voulais seulement vous prévenir que le procureur avait décidé d'ouvrir une information et adressé une requête au président du tribunal de grande instance. C'est le juge d'instruction Thomas Bianchini qui a été désigné. Nous devrions recevoir la commission rogatoire sous peu. Bien sûr, vous demeurez responsable d'enquête.

– Bien, chef.

– Dites-moi, Bidart…

– Oui ?

– J'attire votre attention sur le fait qu'une telle affaire relève désormais bien davan-

tage de nos amis du SRPJ que de nos services et que, s'ils n'étaient pas débordés, ils
n'hésiteraient d'ailleurs certainement pas à
le rappeler à notre juge d'instruction. Tâchez
de ne pas l'oublier !

– On est en compète ?

– Non, bien sûr, mais ce serait bien de
montrer que le SIR est tout aussi capable
qu'eux de démêler des affaires comme celle-
ci.

– Message reçu. On va faire pour le
mieux !

Bidart avait eu l'occasion de travailler à
de nombreuses reprises avec Thomas Bianchini, et cela s'était toujours bien passé. Le
jeune juge d'instruction, qui n'avait pas quarante ans, était du genre avenant et ouvert.
Il faisait son boulot avec un profond respect
pour sa fonction, et surtout ne se prenait
pas une seconde pour un de ces juges cow-
boys médiatisés comme des stars. De plus,
et cela facilitait le cas échéant les relations,

il était un ami de Morel. Ils s'étaient rencontrés quelques années auparavant au
squash, avaient tout de suite sympathisé et
se voyaient assez régulièrement. Ils étaient
même partis ensemble deux ans auparavant
faire un stage de voile dans le Morbihan.

Tandis qu'il enquêtait rue Beffroy, Martine Lorbach avait croisé toutes les adresses
des deux calepins et vérifié leur exactitude.
À deux noms près, tous correspondaient à
la liste cochée par Nadia Delpire. Elle avait
inscrit deux croix devant le nom de François
Bonneval.

– Non seulement on le retrouve dans les
deux répertoires, mais aussi très souvent
dans les carnets de rendez-vous de Vincenot
et de Levasseur avec des annotations au
sujet de ce fameux projet de golf. François
Bonneval est le président de la Sogestrim,
vous savez ; j'ai pensé que...

– Un gardien de la paix affecté ne pense
pas, Martine !

– Bien, chef. J'ai donc fait des observations personnelles dont mon modeste statut ne m'autorise pas à faire état.

– Sauf?

– Sauf si mon chef me le demande.

– C'est bien, Martine, vous êtes sur la bonne voie. Vous deviendrez certainement brigadier et peut-être même lieutenant! Je vous écoute.

– J'ai simplement pensé qu'il serait bon de commencer par lui.

– Fichtre diable, je n'y aurais pas songé!

La Sogestrim occupait le rez-de-chaussée et le premier étage d'un petit immeuble récent et luxueux de la place du Boulingrin.

Bidart et Morel se présentèrent à l'accueil à quatorze heures trente.

L'hôtesse, une mignonnette pulpeuse à la chevelure châtain, leur répondit que Bonneval avait un déjeuner mais ne tarderait pas à revenir car il avait un rendez-vous à quinze heures.

– Vous aviez aussi rendez-vous ? demanda-t-elle.

– Non, mais nous n'en aurons que pour quelques minutes, dit-il en ouvrant son porte-cartes.

La jeune femme eut un mouvement de recul, comme si on venait de lui montrer une araignée.

– Vous avez peur de la police, mademoiselle ?

– Non, pas du tout, au contraire, mais c'est qu'on n'a pas l'habitude.

Morel, qui se demandait si elle portait un soutien-gorge sous son chemisier de soie imprimée, se pencha vers elle :

– Ça vous plairait de traverser Rouen à cent à l'heure en faisant « pimpon, pimpon, pimpon » ?

– Pourquoi pas, dit-elle en riant, étonnée de voir un policier aussi jeune et prêt à plaisanter. Vous venez pour l'affaire du double crime ?

Bidart saisit la balle au bond. La petite était détendue et même prête à rire, et c'était elle qui avait abordé le sujet.

– Dites-moi, vous avez une idée sur la question, vous ?

– C'est un cinglé qui a fait ça, un fou !

– Pourtant les deux victimes se connaissaient très bien.

– Oui, c'est vrai.

– Elles connaissaient aussi très bien monsieur Bonneval.

Karine – c'était son nom, tout au moins celui qui était inscrit sur son badge – releva la tête brusquement et regarda Bidart dans les yeux.

– Vous ne voulez pas dire que…

– Bonneval est l'assassin ? Bien sûr que non ! J'essaye simplement d'établir des rapports entre les personnes qui se connaissent. Dites-moi…

Il se pencha vers elle et baissa un peu la voix. Morel en profita pour en faire de même, car il n'avait toujours pas réussi à voir si elle portait ou non un soutif.

– On nous a beaucoup parlé d'un projet de golf à Saint-Pierre-l'Abbaye, ça vous dit quelque chose ?

– Ah, quelle histoire !

– Vous pouvez m'en dire deux mots ?

Elle baissa encore la voix et chuchota pratiquement :

– Vous me jurez de ne pas répéter à monsieur Bonneval ce que je vous ai dit ? Vous savez, c'est pas du genre qui rigole avec le personnel, et moi, l'ANPE, j'ai assez donné comme ça !

– Alors ?

Morel affichait un discret sourire. Il venait enfin de voir ce – ou plus exactement ceux – qu'il cherchait

– D'après ce que j'ai entendu dire, c'était un peu magouille et compagnie, leur affaire. Ils voulaient faire acheter par la Sogestrim un terrain sur lequel ils auraient fait un golf et construit tout un tas de maisons qu'ils auraient ensuite revendues… et bonjour les gros sous sur le compte de la boîte. Et pendant ce temps-là, moi il me reste cinq mille balles par mois après avoir payé toutes les charges !

– « Ils », c'était qui ? Et pourquoi en parlez-vous au passé ?

– Ils, c'était toute la bande de copains à Bonneval – Levasseur et Vincenot, entre autres –, pas très fréquentables dans l'ensemble, mais à ce qu'il paraît l'affaire est tombée à l'eau depuis que le proprio du terrain est décédé.

Elle se redressa brusquement en adressant un petit signe des paupières à Bidart.

– Ah, voilà monsieur Bonneval !

Grand, baraqué comme un légionnaire, la cinquantaine triomphante, le visage trahissant une prédisposition à la couperose ou au whisky, Bonneval entra tout en parlant sur son portable.

Karine lui fit un signe de la main en pointant du doigt les deux officiers de police.

– Attends, ne quitte pas, dit-il à son interlocuteur.

S'approchant de l'hôtesse tout en détournant délibérément le regard comme s'il ne les avait pas vus, il reprit :

– Qu'est-ce que c'est ?

– Ces messieurs voudraient vous voir…

– Ils ont rendez-vous ?

– Ils sont de la police.

– Ah…

Il se retourna.

– Messieurs ?

Morel regardait les poignets de Bonneval, les imaginant avec des menottes, fulminant intérieurement contre ce gros porc.

– Commandant Bidart, brigade criminelle. Mon adjoint, le lieutenant Morel.

Bonneval regarda Morel, l'air de dire : « Ça, un officier de police ? »

Il prit congé de son interlocuteur.

– J'ai un rendez-vous dans quinze minutes, messieurs.

– Dix suffiront largement pour un premier contact, monsieur Bonneval.

Manifestement agacé, Bonneval se dirigea vers l'escalier. À l'étage, une collaboratrice vint à sa rencontre :

– Monsieur Bonneval, il faut absolument
que je vous voie pour...

– Plus tard.

Il ouvrit une porte capitonnée de cuir vert
olive patiné et entra le premier. Bidart eut
l'impression qu'il voulait cacher quelque
chose et le vit effectivement déplacer des chemises posées sur une sorte de petite commode.

L'endroit se voulait dépouillé et il l'était.
Une grande table tulipe Knoll au plateau de
marbre gris clair servait de bureau, sur
lequel il y avait en tout et pour tout un agenda
de cuir noir, un téléphone dernier cri, une
lampe design d'une absolue sobriété, un
bloc-notes et un stylo Montblanc.

Bonneval contourna son bureau et se
laissa choir dans son fauteuil directorial,
qu'il inclina légèrement en arrière tandis
qu'il rallumait son cigare.

– Je vous écoute.

– Vous permettez ? dit Morel en s'asseyant à son tour.

– Vous venez pour ce pauvre Levasseur et ce pauvre Vincenot ?

– Exact. Et, si vous le voulez bien, c'est plutôt nous qui allons vous écouter.

– C'étaient des amis très chers et j'ai été profondément attristé de ce qui leur est arrivé. Lorsque Levasseur a été tué, j'ai pensé qu'il s'agissait d'un crime crapuleux. La mort de Vincenot a bien sûr changé mon opinion, car il est évident qu'elle a un lien avec l'autre. Mais vous dire lequel... je n'en ai pas la moindre idée. Peut-être avaient-ils une vie privée que j'ignorais. Vous êtes mieux armé que moi, commandant, pour apporter une réponse.

– Vous pensez à des histoires de femmes ?

– Je n'en ai pas la moindre idée.

– À des affaires financières ?

– Je ne peux pas vous en dire plus.

– Pourtant vous étiez en affaires, je crois.

– J'ai fait travailler Levasseur il y a bien longtemps sur quelques projets, mais il faut bien dire les choses, ce n'était pas un brillant architecte. Il aurait mieux fait de couler des jours tranquilles avec tout le fric que ses parents lui ont laissé.

– Et Vincenot?

– Vous savez, quand on a un ami avocat, on lui demande toujours quelques conseils.

– Donc pas de business entre vous?

Bonneval souffla la fumée de son cigare vers le plafond tout en haussant les épaules.

– Pourtant…

– Pourtant quoi, commandant?

– Pourtant vous étiez sur le point de réaliser ensemble une opération intéressante avec le golf de Saint-Pierre-l'Abbaye.

Bonneval ne montra aucun trouble, pas même le plus petit clignement des yeux. Un léger sourire se dessina sur ses lèvres, tandis qu'il hochait la tête.

– Ah, c'est vrai, c'était un joli projet. Malheureusement, c'est tombé à l'eau. C'est bien le cas de le dire. Affaire classée sans suite, commandant, dit-il en regardant sa montre.

– Nous allons vous libérer dans un instant. Pouvez-vous me dire un mot de ce projet de golf?

– C'est tout simple. Vincenot connaissait un type qui avait un joli terrain à Saint-Pierre, un truc idéal pour faire un golf, d'autant que la commune y était très favorable. Nous avons été en pourparlers avec lui pendant un certain temps. Et puis, manque de chance, le type est décédé et ses héritiers ont décidé de ne plus vendre. Le genre de situation qu'on rencontre souvent dans notre métier.

– Levasseur était mêlé au projet ?

– Au titre d'investisseur seulement.

– Pourquoi donc ? Un architecte, ça peut servir, dans ce genre d'affaire…

– Ce pauvre Louis, comme je vous l'ai dit, n'était pas un excellent architecte, et, en affaires, ce n'était pas franchement un phénix non plus ! En quelques gaffes dont il avait le secret, il était capable de faire doubler un prix. Alors, sur ce plan-là, moins on le voyait, mieux on se portait. Non, il n'a jamais rencontré qui que ce soit à Saint-Pierre, ni le propriétaire ni le maire. Il aurait été capable de tout faire capoter !

– Et si les héritiers étaient de nouveau vendeurs, vous relanceriez l'affaire ?

Bonneval serra imperceptiblement la mâchoire.

– Vous savez, j'ai d'autres chats à fouetter. Et puis, je ne sais pas si vous êtes au courant, mais un golf, c'est plutôt un gouffre à fric qu'autre chose. Si vous avez des placements à faire, commandant, je pourrais sans dif-

ficulté vous conseiller des choses plus intéressantes.

Bidart se leva.

– Merci, monsieur Bonneval. Si par hasard
vous aviez une idée ou si vous appreniez quelque chose, n'hésitez pas à m'appeler.

– Bien sûr. Je vous raccompagne.

Alors qu'ils parvenaient au bas de l'escalier, Bidart donna un discret coup de coude
à Morel.

– Zut ! J'ai oublié mon stylo dans votre
bureau, j'arrive.

Bonneval voulut se retourner, mais Morel
s'interposa en lui posant une question ano-
dine à propos du grand tableau qui ornait
le hall de réception. Bidart était déjà dix
marches plus haut et partir à sa poursuite
eût semblé suspect. Bonneval bredouilla
quelques mots à propos de l'artiste.

À peine entré dans le bureau, Bidart souleva les chemises sur la petite commode.
Bonneval les avait déplacées pour cacher un
cadre dans lequel se trouvait un portrait.
C'était une jeune femme d'une trentaine
d'années. Blonde, les cheveux courts, les
yeux très clairs, un visage bien propor-
tionné et d'une parfaite symétrie ; elle était
plutôt jolie et arborait une certaine distinc-

tion. Seul signe particulier : un petit diamant dans le nez sur la narine gauche. En deux secondes, Bidart avait photographié le visage et l'avait gravé une fois pour toutes dans sa mémoire. Question de métier. Il reposa les dossiers dessus, sortit son stylo de sa poche et se dirigea d'un pas rapide vers l'escalier.

– Je passe mon temps à semer mes affaires, dit-il en le remettant ostensiblement dans sa poche.

– Je vous l'aurais rendu.

– C'est pas le problème, un simple feutre, mais après je ne peux plus prendre de notes.

Deux hommes venaient de se présenter à l'accueil. Bonneval tendit la main à Bidart.

– Au revoir, commandant, au revoir, capitaine.

– Lieutenant, reprit Morel.

– Excusez-moi.

Ne pouvant être vu, Morel adressa un petit signe de la main et un clin d'œil à Karine.

**

Tandis que Bidart se dirigeait vers la voiture et y prenait place, Morel alla jeter un coup d'œil, à l'angle du boulevard de Verdun, sur l'étonnant monument aux morts des forains. Chaque année, durant la foire Saint-Romain qui ouvrait ses portes de la dernière semaine d'octobre à la mi-novembre, il était couvert de fleurs.

Jadis, la foire se tenait là, mais elle avait été déplacée sur les quais. Depuis quelques jours, on pouvait d'ailleurs voir les premiers arrivants prendre place le long de la rive gauche et commencer à assembler les plus grandes attractions.

Morel revint. Tandis qu'il s'asseyait, il fit claquer une bulle de chewing-gum.

– Alors, patron ?

– Alors quoi ?

Parfois ce côté gamin du jeune lieutenant l'amusait. Mais parfois, comme dans l'instant, il l'exaspérait.

– Alors qu'est-ce que vous pensez de cette vieille crapule et qu'est-ce qu'on fait ?

Bidart se vengea sournoisement :

– Et si, pour une fois, vous faisiez travailler les quelques modestes neurones dont vous disposez au lieu de les laisser partir

dans des bulles de chewing-gum qui, en
plus, dégagent une odeur infecte... Qu'en
pensez-vous ?

– Dites-moi d'abord ce que vous êtes
retourné faire dans son bureau.

– Voir ce qu'il avait dissimulé en entrant.
C'était un cadre avec le portrait d'une jolie
jeune femme blonde plutôt distinguée et
portant un diamant dans le nez. Ça vous dit
quelque chose ?

– Mademoiselle M.B., peut-être... Moi je
pense que le bonhomme n'est vraiment pas
franc du collier, qu'on devrait aller jeter un
coup d'œil à Saint-Pierre-l'Abbaye, fouiller
cette histoire de golf et essayer d'en savoir
plus sur la Sogestrim.

– Eh bien, vous voyez, il suffisait de
mettre la machine en route. C'est votre première idée intelligente de la journée !

Saint-Pierre-l'Abbaye se trouvait à tout juste
trente-cinq kilomètres de Rouen en direction
de Neufchâtel-en-Bray. Blotti dans un vallon

en lisière de la forêt d'Eawy, le village avait échappé aux massacres de cette fin de siècle. Point de panneaux publicitaires criards ni de «mobilier urbain», comme on dit aujourd'hui. Tout était plus ou moins resté dans son jus. Mais l'endroit était un peu trop léché et n'avait pas beaucoup d'âme, ne vivant apparemment que pour les touristes.

Quatre cafés, deux ou trois restaurants bon genre, une charcuterie digne de la rue de Passy, une pâtisserie connue à dix lieues à la ronde, une Maison de la presse où l'on pouvait trouver le *Financial Times*, le *Journal de Genève* et la *Gazette de Drouot*, enfin, un fleuriste, un agent immobilier et une poignée d'antiquaires constituaient l'essentiel d'une activité commerciale qui ne battait son plein que durant les week-ends.

Assis sur un banc sous la halle, Bidart et Morel humaient l'endroit. Ça sentait un peu trop le Range-Rover, le sac Vuitton, le golden retriever et le parfum Chanel.

L'agent immobilier sortit de sa boutique pour fumer une cigarette sur le pas de la porte. Veste sport, chemise à carreaux, cravate tricotée : plutôt chic. Bidart en profita pour s'approcher de la vitrine et regarder les photos des maisons à vendre.

– Dites-moi, c'est pas donné, mais il y a de jolies choses, dans la région.

– C'est le marché qui veut ça. Il y a beaucoup de demandes : des Rouennais, des Parisiens ; on a même des gens de Lille et des Anglais maintenant.

– Évidemment, ça fait grimper les prix. Je comprends mieux pourquoi on m'a parlé de ce projet de golf et de lotissement de luxe tout autour.

– Ah, ne me parlez pas de ce truc-là. Un projet de voyous qui a déjà fait trois morts ! Heureusement ça a l'air d'être tombé à l'eau. Encore qu'avec notre maire, on ne sait jamais...

Bidart ne répondit pas et l'agent immobilier poursuivit, pensant qu'il n'était pas au courant.

—Vous avez bien entendu parler du double meurtre de Rouen, les types saignés comme des cochons dans leurs bagnoles.

– Attendez. Avant que vous n'alliez plus loin, je préfère jouer franc-jeu avec vous.

Il sortit sa carte au bandeau tricolore.

– Commandant Bidart et mon adjoint Morel, brigade criminelle de Rouen. Nous sommes précisément ici pour cette affaire.

– Ah !

– Ça change quelque chose à ce que vous alliez dire ?

– Non, mais j'ai pas envie d'être poursuivi pour délation.

Bidart regarda le nom qui figurait sur un panonceau dans la vitrine.

– Si je joue cartes sur table avec vous, monsieur Evrard, c'est bien pour que vous nous parliez en confiance. Nous pouvons entrer un instant ?

Evrard les introduisit dans une petite pièce au fond de la boutique. Quelques accessoires de vénerie et deux trophées de sangliers ornaient les murs.

– Chasseur ?

– Plus beaucoup.

– Alors qui est ce troisième mort dans l'affaire ?

Evrard, qui avait jeté sa cigarette dans le caniveau, sortit de sa poche un paquet de tabac et commença à bourrer une pipe.

– Le propriétaire du terrain et de la maison, ce pauvre Guillaume Halleur.

– Nous savions qu'il était décédé, mais nous pensions que c'était de mort naturelle.

– Pensez donc ! On l'a suicidé, oui.

– Vous voulez dire, si j'ai bien compris, qu'on l'a tué.

– J'en sais rien, moi, j'étais pas dans ses petits papiers, mais s'il s'est suicidé, c'est qu'il a craqué, qu'on l'a poussé à bout...

– Qui ça, « on » ?

– Tout le monde autour de lui ! Son fils, le pédé, l'autre qui est devenu vaguement romanichel, toute la bande de la Sogestrim ; tout le monde... sauf sa fille. Pauvre Mathilde, elle au moins, elle l'aimait, son père !

– Qu'entendez-vous par « on l'a poussé à bout » ?

– Vous savez, c'est une histoire compliquée que je ne connais que dans les grandes lignes ; ce que je peux vous dire relève plus de ragots que d'autre chose.

– Ça sera toujours ça...

Evrard tira plusieurs bouffées sur sa pipe pour s'assurer qu'elle était bien allumée. Un beagle entra et vint se coucher sous le bureau.

– La famille Halleur est une des plus vieilles du coin ; ils ont toujours eu beaucoup de terres et de bois. Guillaume Halleur avait hérité d'une des très jolies maisons de la région, un ancien moulin du XVIIIe sur la Varenne, je ne sais pas si vous connaissez, c'est en remontant vers Bellencombre. Un endroit de rêve en bordure de forêt avec plusieurs dizaines d'hectares autour. Il y a quelques années, après la mort de sa femme, il a eu la mauvaise inspiration de laisser entendre au maire qu'il vendrait peut-être un jour sa propriété. Il disait ça sur le coup d'un moment de déprime. Manque de chance, ce n'est pas tombé dans l'oreille d'un sourd. Quelque temps plus tard, au hasard d'un dîner chez Auvray, d'après ce qu'on m'a dit…

– C'est qui, celui-là ?

– Un ami de Bonneval et compagnie.

– Mais oui, vous savez, commandant, reprit Morel, il est sur nos listes. C'est ce chirurgien qui vit à Pontoise et qui vient en week-end dans la région.

– C'est ça, enchaîna Evrard, il a acheté un petit manoir à une vingtaine de kilomètres d'ici, près de Forges-les-Eaux.

– Toujours est-il que quelqu'un lança l'idée qu'il serait bien d'avoir un golf à Saint-Pierre. Le maire évoqua le moulin de Hal-

leur, qui, il est vrai, s'y serait prêté admira-
blement. Et voilà comment tout a démarré.

– Expliquez-vous, je ne comprends pas
très bien.

– Je ne sais pas qui était à ce dîner, ni qui
a commencé, mais toujours est-il que Bonneval s'est mis en rapport avec Halleur. Il a
fait une espèce de fixation sur ce moulin
qu'il voulait à tout prix et que Halleur ne
voulait bien sûr pas vendre – surtout pour
qu'il devienne un golf. Pendant des mois,
peut-être même des années, ça a été un véritable harcèlement. Le maire, qui est obnu-
bilé par le développement touristique du
coin, s'est mis de la partie. Vous ne pouvez
pas imaginer les proportions que tout cela
a pris ! Tout a été bon pour essayer de faire
craquer Halleur. Ils ont essayé de soudoyer
le fils, un incapable à qui ils ont fait miroiter
que si l'affaire se faisait il pourrait rester sur
place et devenir le gérant. Le maire, qui se
croit tout-puissant, a menacé de faire élargir
la route et de la faire passer au pied du moulin, de construire une station d'épuration. Ils
ont été atroces, allant jusqu'à raconter que
Halleur ne voulait pas vendre pour que les
commerçants du coin ne s'enrichissent pas
– histoire qu'il se les mette tous à dos.

– Mais pourquoi un tel acharnement ?

– Des intérêts financiers, bien sûr. Il est évident que Bonneval et ses amis y auraient largement trouvé leur compte – et auraient aussi copieusement arrosé le maire au passage. Vous imaginez, un golf… dans un endroit pareil… Et puis je pense qu'il y avait aussi une histoire de femme là-dessous.

– Entre qui et qui ?

– Mathilde, la fille de Halleur, était très amie avec la fille du maire. Elles ont grandi ensemble et sont devenues des femmes, puisqu'elles ont maintenant autour de la trentaine, et je ne serais pas étonné d'apprendre que la petite Caroline, la fille du maire, ait eu un coup de cœur pour Guillaume Halleur. Il est certain que si son père l'a su ou simplement soupçonné, ça n'a fait qu'attiser sa haine pour Halleur.

– Il s'appelle comment, le maire ?

– Pouffard, Claude Pouffard.

– Et alors, venons-en au suicide.

– Ce harcèlement, comme je disais, et ce climat de haine ont fini par miner le pauvre Halleur. Vous imaginez, son propre fils était contre lui ! Il a changé. On ne le voyait plus à Saint-Pierre. Il allait faire ses courses à Rouen. Et puis il a fini par craquer. On l'a retrouvé un matin noyé sous la cascade de son moulin.

– Suicide ou meurtre ?

– Certains ont bien sûr émis l'hypothèse qu'on l'avait peut-être poussé... Mais le rapport du médecin qui a constaté la mort n'évoquait aucune trace de violence sur le corps et les gendarmes, compte tenu des témoignages qui convergeaient pour souligner le caractère dépressif de Halleur, ont conclu au suicide. Je crois savoir, mais là encore ce ne sont bien sûr que des ragots de village, que seule sa fille n'a pas admis la thèse du suicide. Curieusement, elle n'a pas déposé de plainte. Affaire classée, comme on dit.

– Et vous-même, qu'en dites-vous ?

– Écoutez, très honnêtement, je ne sais rien de plus que les autres et j'ai du mal à imaginer l'un de ces types capable de tuer. Cela dit, vous avouerez qu'un homme qui a une belle maison, un magnifique terrain, pas de problèmes d'argent, qui à près de soixante ans, si ce n'est plus, plaît encore à de jolies jeunes femmes et qu'on retrouve un beau matin noyé dans la cascade de son moulin, ça peut sembler bizarre, non ?

– Vous connaissiez tous ces types qui étaient sur le projet ?

– J'ai vu Bonneval, maître Vincenot, un notaire dont je ne sais plus le nom ; ils sont venus me voir une ou deux fois pour se renseigner sur les maisons à vendre dans la région. Mais de là à vous dire que je les connaissais… Évidemment que non.

– Et Levasseur, l'architecte ?

– Jamais vu, celui-là.

– Donc, vous n'avez pas d'opinion particulière ?

Bidart déposa Morel rue Brisout-de-Barneville. Son bureau donnait sur la rue et, entendant le moteur démarrer, il se pencha à la fenêtre pour regarder le jeune lieutenant filer sur son scooter. Au fond, non seulement il l'aimait bien, mais il avait même parfois l'impression qu'il lui incombait un peu un rôle de père à son égard. En quatre ans, depuis qu'il était devenu son adjoint sur bien des affaires, il l'avait vu se forger un vrai profil de flic tout en conservant cette espèce de fraîcheur et d'allure insouciante qui l'avaient exaspéré les premiers temps.

Mais Jean, après tout, n'était-il pas tout simplement un enfant de son temps, comme les autres?... Sérieux au boulot, prêt à rire, à la fois superficiel et grave, nourri à l'Internet, au Paraboot, au GSM, au 16/9, à l'Häagen-Dazs et à la pizza livrée en mob.

Il décrocha son téléphone et appela Nadia Delpire chez elle.

– «Bonjour, je ne suis pas là pour le moment, mais vous pouvez laisser un message après le bip sonore...»

– Commandant Bidart à l'appareil. Pourriez-vous passer me voir demain matin, jeudi, entre neuf heures et midi à l'heure qui vous convient? Je serai à l'hôtel de police toute la matinée. Merci.

La pendule murale indiquait dix-neuf heures. Il était grand temps de quitter les lieux. Marianne devait déjà être en train de se préparer pour aller dîner chez Jean-Marc et Marie-Laurence Delrieu, qui leur avaient demandé de ne pas arriver trop tard afin de pouvoir prendre un verre sur la terrasse.

Jean-Marc, avec qui Bidart était lié depuis de nombreuses années, avait un certain génie pour sentir – ou plutôt pressentir – les relations entre les gens, et avait eu la subtile idée de convier à ce dîner le procureur Chantrin et son épouse. Non seulement il réunissait à sa table les acteurs principaux d'une affaire dont tout Rouen parlait, mais il donnait surtout la possibilité aux deux hommes d'échanger quelques propos dans le cadre informel d'une réception privée.

Assureur de son métier, il avait également invité l'un des responsables du groupe Axa pour la Haute-Normandie.

Cuisinière émérite, Marie-Laurence était en particulier la reine du gigot, qu'elle préparait à la perfection, tandis que Jean-Marc servait d'admirables vins, des bordeaux notamment, pour lesquels il avait une petite faiblesse.

Jean Morel, lui, ne se préparait pas à dîner d'un gigot et de grands vins, mais d'une portion de porc à l'aigre-doux et de riz cantonnais achetée au chinois du centre commercial de Saint-Sever, le tout arrosé d'une bonne bière bien fraîche et servi sur un plateau devant sa télévision. On donnait ce soir-là *Blade Runner* en VO, il ne l'aurait manqué à aucun prix.

Mais avant tout cela, il avait un coup de téléphone important à donner. Toute la journée, il y avait pensé, et maintenant que l'heure était venue il sentait une espèce de panique monter en lui, une sorte de pression sur la poitrine l'essoufflait, tandis qu'un léger picotement lui chatouillait les joues. Était-ce une bonne idée ? Ne commettait-il pas une bêtise, une maladresse ? Il se leva, alla dans sa salle de bains et mima ses propos devant la glace de l'armoire de toilette :

– « Bonjour… c'est Jean… Jean Morel, je ne te dérange pas ? » Ou : « Coucou, tu sais qui c'est ? » Ou encore : « Bonsoir mademoiselle, un admirateur veut vous parler. » Non… tout ça fait tartignol.

Il revint dans la chambre. Posa la main sur le combiné. Regarda dans son carnet le

numéro qu'il s'était répété cent fois et murmura en le composant un « allez, vas-y, mec ! »

– Alice ? C'est Jean... Jean Morel.

– Mais j'ai reconnu ta voix, Jean. C'est
sympa d'appeler. Tu vas bien ?

– Comme un pauvre flic qui cavale...
C'était bien Fontainebleau ?

– Super. Tu connais ?

– Dis-moi, Alice...

– Oui ?

– Tu viens quand à Rouen ?

– Demain soir. Je dois aller voir une
copine vendredi au Havre et dormir chez
elle. Je repartirai directement samedi matin
de chez elle pour Paris, parce que je bosse
l'après-midi. Pourquoi ?

– T'arrives à quelle heure demain ?

– Comme d'habitude, dix-neuf heures
quarante-six.

– Tu veux qu'on dîne ensemble ?

– Ben oui ! Tu viens me chercher au train ?

– Évidemment. Dis, Alice... Est-ce que tu
pourrais...

– Est-ce que je pourrais éviter de dire à
Marianne et à Pierre que tu m'as invitée à
dîner ?

– Comment tu sais ça ?

– Comme ça ! J'ai dû le lire dans les violettes que tu m'as offertes l'autre soir.

– Alors à demain ?

– Ça roule.

– Je t'embrasse.

– Moi aussi.

Jean demeura assis par terre immobile au moins deux ou trois minutes, soulagé d'avoir osé, nageant dans un bonheur inespéré, mais mêlé toutefois d'une pointe de perplexité. Il se leva pour aller passer sa barquette au micro-onde et décapsuler la bière. Mais, putain, comment elles font, les gonzesses, pour tout deviner comme ça ?

Le flair de Bidart ne l'avait pas trompé. Jean-Marc avait choisi chez l'un des meilleurs traiteurs de la ville tout un assortiment de délicieux petits hors-d'œuvre, tandis que Marie-Laurence peaufinait la sauce d'une envoûtante feijoada et qu'une de ses spécialités, une moelleuse tarte aux pommes, refroidissait sur le plan de travail.

Mais le regard de Bidart fut surtout attiré par les bouteilles alignées sur la desserte à côté desquelles, dans de scintillantes carafes, le vin qu'elles avaient contenu respirait une dernière fois avant la fête.

– Tu es complètement fou, Jean-Marc !

– Tu sais, Pierre, rien n'est plus triste que de servir de bonnes bouteilles à des gens qui boiraient aussi bien de la piquette ; mais, à l'inverse, rien n'est plus agréable que de faire plaisir à des connaisseurs. Or je crois que ce soir nous serons entre vrais amateurs.

Bidart se pencha pour lire les étiquettes.

– Celle-là, je l'ai choisie pour toi.

C'était une côte-rôtie de chez Guigal à qui quinze années de cave avaient dû faire le plus grand bien. Un de ces vins généreux et riches, marqués par des parfums de violette, d'épices, de résine, parfois même de truffe. Bidart se pencha sur la carafe les yeux fermés.

Juste à côté, un montrose 1982.

– C'est ma dernière, dit Jean-Marc avec regret, je la servirai avec les fromages, qu'en penses-tu ?

Mais Bidart ne put répondre. On venait de sonner en bas et déjà l'on entendait la voix tonitruante du procureur et les rires de cantatrice de sa volubile épouse. L'instant d'après, la sonnette retentit une nouvelle fois. C'était Jacques Neveu, l'assureur.

Les Delrieu habitaient une maison quasi hollywoodienne sur les hauteurs de Rouen, non loin de chez les Bidart. De leur terrasse, la vue embrassait toute la ville de Rouen qui baignait en cette fin de jour dans une lumière nacrée. Les vitraux de quelque église renvoyaient les derniers feux orangés d'un soleil impressionniste, tandis que du salon parvenait l'écho d'une pièce pour clavecin de Rameau, dont Marie-Laurence était une grande spécialiste.

– Vous avez de la chance d'avoir ce spectacle à votre fenêtre, commenta la femme du procureur.

– Oui, répondit Marie-Laurence, et même quand ce n'est pas beau comme ce soir, je trouve toujours fascinant de voir ainsi toute une ville, de se dire qu'on a là, sous les yeux, des milliers et des milliers de gens, des vies, des aventures ; qu'en ce moment même il y en a qui s'aiment, d'autres qui se disputent.

– Et d'autres, continua Jacques Neveu, qui s'apprêtent peut-être à tuer encore de pauvres types dans leurs voitures.

Delrieu lui adressa un léger signe réprobateur. Mais le procureur, qui avait un peu la physionomie de Hitchcock, saisit la balle au bond :

– Mon cher Neveu, ceci n'est pas un dîner de travail. Notre ami Bidart s'en occupe suffisamment dans la journée pour qu'on lui fiche la paix avec tout ça lorsqu'il vient partager des agapes fraternelles autour d'un... Comment ça s'appelle, Marie-Laurence, votre plat exotique qui sent si bon ?

– Une feijoada, mon cher Edmond. C'est le plat national des Brésiliens.

– Et vous nous avez prévu les Brésiliennes pour le dessert ?

Bidart eut envie de dire que Vincenot aurait certainement eu l'adresse voulue pour leur en fournir. Mais Edmond avait dit vrai. On n'était pas là pour parler boulot. Pour l'instant tout au moins. Car, le café servi, pouffant sur son Monte-Cristo, un verre de calvados à la main, le procureur entraîna Bidart faire trois pas dans le jardin.

– Ça avance comme vous voulez ?

– C'est pas simple.

– J'ai cru comprendre...

– On a d'abord eu une piste dans le cadre d'une affaire de mœurs, partouzes avec des semi-mondaines et l'ombre d'un maître chanteur en arrière-plan. Ça semblait assez cohérent. Et puis, aujourd'hui même, on vient de mettre le doigt sur une autre affaire qui pourrait lui être liée, un projet de golf et d'immobilier à Saint-Pierre-l'Abbaye auquel les deux victimes étaient mêlées ainsi que certains de leurs amis. Il y a eu un mort dans l'affaire, apparemment un suicide. Mais je compte fouiller ça d'un peu plus près dès demain. En plus, il semblerait que le maire soit partie prenante...

– Attention, c'est Pouffard, il est député et vous êtes sur ses terres.

– Le maire de Saint-Pierre est député ? Je ne l'aurais pas cru à la façon dont on m'en a parlé !

– Il était le suppléant – pour ne pas dire l'homme de paille – d'Adrien de Brissecourt, qui est mort à l'automne dernier dans un accident de voiture. Voilà comment il a hérité de la charge. L'homme n'est pas méchant, mais j'ai eu l'occasion de le rencontrer une ou deux fois, et à l'évidence, les honneurs lui montent à la tête. Allez-y mollo. Mais ne perdez pas de temps quand même…

– Vous savez bien que ce n'est pas dans mes habitudes.

– Je sais, mais je vais être franc avec vous. On commence à parler un peu trop de cette affaire et je crois savoir que, malgré tout le travail qu'ils ont, vos collègues de la PJ n'ont guère apprécié de voir ce dossier leur échapper et atterrir à la sécurité publique. Si vous n'avancez pas, je crains qu'ils ne fassent pression sur le juge Bianchini pour qu'il vous en dessaisisse.

– Quelle bande de salopards !

– Je sais. Mais il ne faut pas être trop sévère, c'est de bonne guerre.

– Vous êtes donc vous aussi de leur côté ?

– Mais non, voyons, je ne suis d'aucun côté. Simplement mettez-vous à leur place !

– Je n'y tiens absolument pas. Et je ne vois pas de quel droit ils feraient pression sur le juge d'instruction…

– Ne soyez pas naïf. Vous savez très bien qu'au lieu de mener les investigations eux-mêmes et de ne faire appel aux policiers que lorsqu'ils ne peuvent absolument pas mener

une affaire seuls, nombre de juges d'instruction, débordés par les dizaines de dossiers
qu'ils ont à traiter, ont pris l'habitude
aujourd'hui d'envoyer systématiquement des
commissions rogatoires aux policiers de la PJ.
En d'autres termes, ils leur font faire leur
boulot! Vos collègues du SRPJ de Rouen,
comme tous ceux de France et de Navarre, le
savent très bien, et, du coup, lorsqu'il y a un
dossier qui les intéresse tout particulièrement
et qui de surcroît est pleinement de leur ressort, ils ne se gênent pas pour le dire et, si
nécessaire, pour le réclamer. C'est aussi
simple que ça et c'est humain.

Marianne s'approcha des deux hommes
et prit la main de Pierre.
– Chéri, on va peut-être bientôt y aller.
Demain, tu te souviens, je me lève tôt.
– Tu as raison, on va aller saluer nos
hôtes. Puis, s'adressant à Chantrin : Voilà
bien les femmes, c'est nous qui travaillons
et c'est elles qui sont fatiguées !

Tandis qu'il fermait les volets du rez-de-chaussée, Bidart entendit Marianne descendre dans la cuisine et prendre de l'eau minérale dans le réfrigérateur. Il s'approcha d'elle et lui ouvrit délicatement la main qu'elle tenait fermée sur deux petits comprimés.

– Tu as vraiment besoin de prendre ça ?

– Je sais que ce n'est pas bien, mais c'est le prix de mon sommeil. Et je préfère dormir, surtout en ce moment.

Il écarta une chaise de la table.

– Assieds-toi une seconde.

Il la regarda, tandis qu'elle buvait.

Proche de la cinquantaine, elle avait conservé une beauté qui ne cessait de l'émouvoir, de l'attirer. Grande, mince sans excès, les cheveux auburn qu'elle portait en chignon, les yeux verts comme sa fille, toujours souriante, elle avait non seulement du charme, mais aussi de la classe. Bidart savait que les hommes la regardaient et il en était fier. Mais depuis quelques jours elle était moins lumineuse qu'à l'ordinaire, paraissant habitée par quelque souci.

Il s'assit à côté d'elle et se servit à son tour un grand verre d'eau.

– Qu'est-ce qui ne va pas, chaton ?

– Rien, tout va bien.

– On se connaît, tu sais, et je vois bien qu'il y a quelque chose. Ça va toujours mieux quand on en parle.

– Mais non, je t'assure qu'il n'y a rien.

– Tu veux que je te dise?

– Quoi?

– C'est depuis la semaine dernière, depuis qu'on a trouvé ce macchabée à côté de la maison et que je m'occupe de cette affaire.

– Mais non!

– Mais si. Le fait que tu aies connu ce Levasseur a remué en toi de vilains souvenirs.

Marianne baissa la tête et regarda ses mains.

– Et je pense qu'il y a autre chose que tu ne veux pas me dire.

Elle releva son visage.

– Tu veux que je te dise? Le Bonneval dont tu parlais ce soir, il était aussi dans la troupe de salauds qui ont fait du mal à Martin.

– Qu'est-ce que la Sogestrim avait à voir avec votre restaurant?

– À l'époque, la Sogestrim n'existait pas. Bonneval avait une petite boîte qui s'appelait l'Immobilière rouennaise. Il était encore marchand de biens et commençait à construire quelques petits immeubles.

C'est lui qui nous a vendu le fonds de commerce de la rue de l'Abbé-de-l'Épée. Les murs étaient à vendre aussi, mais on n'avait pas les moyens. Il a proposé de les acheter et de nous en céder vingt pour cent en échange d'une participation financière dans notre affaire. C'était pas idiot. Il croyait en notre projet. Mais voilà, les choses ne se sont pas déroulées comme nous l'avions prévu. Et quand Martin a commencé à faire naufrage, Bonneval était l'un des premiers à lui enfoncer la tête sous l'eau pour essayer de récupérer ses billes.

Bidart se leva et s'approcha de la fenêtre, tournant le dos à Marianne. Il se mordait légèrement la lèvre inférieure.

– C'est un peu de ma faute, tout ça.

– C'est de la faute de personne, Pierre. Ce sont les hasards de la vie. Simplement, certains jours le hasard fait bien les choses, et d'autres jours il les fait moins bien. Viens, on va aller se coucher. Les comprimés commencent à faire leur effet.

Dans le lit, Marianne vint se blottir contre l'épaule de Pierre. Quelques minutes plus tard, elle dormait profondément. Deux heures sonnèrent au carillon de Saint-

André. Des chats se battaient dans un fourré voisin. Probablement ceux-là mêmes qui étaient venus se réchauffer sur le capot de la Mercedes de Levasseur.

IV

Jeudi 24 octobre

Nadia Delpire se présenta à dix heures à l'hôtel de police, toute de noir vêtue. Bidart ne ressentit pas en la voyant entrer dans son bureau le même émoi que la fois précédente. Il l'invita à s'asseoir et l'observa dans un silence qui parut interminable à Nadia.

– Vous vouliez me voir, commandant. Je suis là.

Bidart se racla la gorge.

– Mademoiselle Delpire, je sais que vous traversez un moment difficile, que les obsèques de votre ami seront après-demain et que tout cela doit énormément vous perturber, mais il faudrait que vous me parliez très simplement et en toute franchise de certains aspects de votre relation avec Michel Vincenot.

– Mais je n'ai rien à cacher, commandant.

– Mes questions risquent de vous sembler indiscrètes.

– Je vous en prie, commandant, c'est votre métier.

– Aviez-vous avec votre ami l'habitude d'organiser des soirées, comment dirais-je... des soirées un peu légères ou un peu chaudes, si je puis m'exprimer ainsi ?

– Je ne vois pas très bien à quoi vous faites allusion, commandant.

– Disons des soirées auxquelles participaient des hommes et des femmes qui donnaient libre cours à leurs envies amoureuses. Vous voyez mieux de quoi je veux parler ?

– Commandant, puisque vous voulez connaître l'intimité de ma vie, sachez que Michel était un amant parfait et que des soirées à deux suffisaient amplement à me combler à tous les points de vue.

– Bien sûr.

Bidart connaissait la musique. Tous les voyous qui reculent dos au mur tentent à un moment ou à un autre de prendre l'air offusqué.

Il sortit de son tiroir une chemise dans laquelle il prit une photo qu'il tendit à Nadia.

– J'imagine que ceci a été pris au cours d'un banal dîner entre amis.

Pas une ombre d'étonnement ne passa sur le visage de Nadia.

– Ah oui, ça je me souviens… On s'était effectivement bien amusés !

– Je n'en doute pas.

– Mais qu'y a-t-il de répréhensible dans tout ça, commandant ? Cela ne se passait pas sur la voie publique ; il n'y avait pas de mineurs, ni de personnes contraintes par la force de participer à ces jeux. Je pense qu'on avait dû tous boire un peu trop et que cela nous a donné des envies assez naturelles.

Au fond de lui, Bidart était assez soufflé par l'aplomb de la fille.

– Je vois que vous connaissez bien la loi.

– Comme tout le monde, commandant.

– Cette photo me pose toutefois un problème, mademoiselle Delpire.

Nadia s'apprêta à répondre quelque chose, mais se ravisa et laissa Bidart poursuivre.

– Cette photo nous montre un groupe dans lequel on reconnaît deux hommes qui ont été assassinés depuis ; vous, qui étiez la maîtresse de l'un après avoir été celle de l'autre. On peut aussi y voir une jeune femme qui, si je ne me trompe pas, se fait appeler Marushka et qui est ce qu'on appelle communément une prostituée ou une demi-mondaine, si vous préférez. Est-ce exact ?

Nadia acquiesça d'un hochement de tête.

– Pourriez-vous me donner l'identité des autres personnes que l'on aperçoit ?

– Je crains de ne pas m'en souvenir.

– Voyons, celui qui est de profil, là, vous ne l'avez pas pêché dans la rue, vous le connaissez bien.

– Peut-être s'agit-il de Philippe Duparc…

– Le notaire de Bonsecours ?

– Oui, je crois.

– Et le quatrième, qu'on voit de dos ?

– Je ne sais pas, je ne me rappelle plus.

– Serait-ce votre ami Bonneval ?

Nadia eut un mouvement de recul.

– Ah non ! Certainement pas cette ordure !

– Pourtant, c'était un ami de Vincenot, de Levasseur…

– Un pourri de première, oui !

– Que vous a-t-il fait ?

– À moi directement, rien. Mais sous couvert d'amitié, il a essayé d'entuber tous ceux qui lui faisaient confiance. Quand je pense qu'il sera samedi à l'église !

Bidart recula son fauteuil et se racla une nouvelle fois la gorge avant de parler.

– Enfin, pour terminer, là où les choses se compliquent encore un peu, c'est que cette photo a été prise par un dénommé Lucchini, bien connu de nos services et qui a purgé deux ans de prison à Toulouse pour proxénétisme. Tout ça vous paraît toujours normal dans le cadre d'une vie de couple bien rangée ?

– Vous ne trouvez pas que vous y allez un peu fort, commandant ?

– C'est la question que j'allais vous poser. Est-ce vous ou maître Vincenot qui avez demandé à Pierre-Ange Lucchini de prendre ces photos ?

Nadia parut pour la première fois un peu troublée.

– Je ne sais pas qui est ce dénommé Lucchini, et si c'est lui qui a pris ces photos, il est sans doute entré par effraction...

– Bien sûr. Et ensuite il a offert un jeu de ses meilleurs clichés à Vincenot pour qu'il conserve un souvenir de cette excellente soirée... Non, mademoiselle. Lucchini s'est introduit dans l'appartement en passant par la porte de la cuisine, qu'il a tout simplement ouverte grâce au double de votre trousseau de clés. Il a ensuite essayé de faire chanter vos amis avec ces photos, mais comme les choses ne se sont pas passées ainsi qu'il l'espérait... Couic, il les a éliminés.

Nadia se redressa et regarda Bidart dans le fond des yeux d'un air haineux.

– Comment osez-vous porter de telles accusations ? J'irai voir le bâtonnier Isambart. Vous n'avez pas le droit de calomnier un mort.

– C'est ça ! Et je vous accompagnerai chez le bâtonnier, sans oublier de prendre le carnet dans lequel j'ai noté l'adresse du serrurier qui a fait le double de vos clés.

Nadia se leva.

– Suis-je obligée de continuer à répondre à toutes vos questions ?

– Dans le cadre du code de procédure pénale, non. Mais eu égard à votre tranquillité dans les jours à venir, je réfléchirais à deux fois avant de franchir cette porte.

Elle se rassit.

– Je vous écoute.

– Quelle est l'identité exacte de votre amie Marushka ?

– Marie-France Langlade. Du moins c'est ce qu'elle m'a toujours dit.

– Avec une tête de Croate comme ça, elle s'appelle Langlade ?

– Sa mère est hongroise ou roumaine, je ne sais plus. Son père est du Sud-Ouest.

– Où est-elle partie ?

– Je n'en ai pas la moindre idée.

– Dois-je préciser que dans le rapport qu'il me faut remettre ces jours-ci au juge d'instruction chargé de cette affaire, mademoiselle Langlade est, pour l'instant, le principal suspect et vous, le témoin numéro un ? Je vous repose donc ma question : où se trouvent Marie-France Langlade et Lucchini ?

– Je vous ai dit que je ne savais pas.

– Bien. En ce cas, ça sera tout pour aujourd'hui. Je vous serais reconnaissant de rester à notre disposition jusqu'à nouvel ordre et de bien vouloir considérer que le fait de ne pas pouvoir vous joindre risquerait d'être assimilé à une tentative de fuite de votre part.

Bidart se leva. Mais avant même qu'il n'ait contourné son bureau, Nadia avait ouvert la porte.

– Inutile de me raccompagner, monsieur le commandant. Je connais la route.

*

Dans le bureau voisin, Morel et Lorbach étaient en train de tchatcher devant un magazine de moto.

– Ça vous ferait rien de bosser un peu, les jeunes?

– Tiens, v'la le chef! On vous attendait, justement.

Morel tendit un paquet de biscuits à Bidart.

– Un Craquougnou breton à l'orange et au chocolat, patron? C'est nouveau, ils sont géniaux!

Bidart regarda le paquet avec suspicion:

– Moi, à cette heure-ci, je préférerais un toast de foie gras de canard avec un ballon de gewurztraminer, style Goldert grand cru de la Cave de Pfaffenheim. Vous n'avez pas ça dans votre tiroir?

Morel haussa les épaules.

– Putain, mais vous êtes graves, tous! Déjà que Martine n'en veut pas sous prétexte que son mec la trouve trop grosse… et même Yvonne les refuse.

Yvonne, qui faisait des photocopies, ne se retourna même pas:

– Je vous ai dit que vos gâteaux étaient pleins de machins transgéniques et compagnie…

– Bon, reprit Morel, eh bien si vous ne voulez pas de mes gâteaux, tant pis pour vous. Mais peut-être, patron, serez-vous par contre intéressé par les informations que j'ai réunies sur l'affaire du moulin de Saint-Pierre ?

– Enfin, on revient sur terre !

Bidart regarda la pendule. Il était bientôt onze heures.

– Martine, venez dans mon bureau pour qu'on parle des antiquaires de la rue Damiette, je pense qu'on va pouvoir enfin coincer Wallenbaum. Jean, vous nous retrouverez à midi pour un casse-croûte… si vous avez encore faim. À treize heures, Martine, vous viendrez avec moi à Saint-Pierre pour voir ce moulin d'un peu plus près.

– N'oublie pas ton maillot ! lança Morel.

– Ça suffit, interrompit Bidart qui commençait à être un peu agacé. Et vous, Jean, vous filerez chez Speedy Computer avec nos amis des Finances qui épluchent le stock et la comptabilité du magasin. Il semblerait que le responsable de la boutique soit en cheville avec les gamins qu'on a interpellés l'autre jour au centre commercial de Barentin. Vous savez, ceux qui imprimaient des faux codes barres à cinquante balles pour les coller sur des disques durs à plus de mille balles.

– Et vous savez comment ils avaient eu cette idée géniale ? demanda Morel.

– Non !

Mais Morel, qui s'apprêtait à répondre « En mangeant des Craquougnou bretons », se ravisa. Visiblement, le patron était énervé.

– Eh bien je vous le dirai pendant le déjeuner.

– Il est con, ce mec, aujourd'hui. Venez, Martine.

À peine étaient-ils sortis de la pièce qu'Yvonne se retourna.

– Dis donc, Jean, tu es amoureux, tu as gagné à la loterie ?

– Non, pourquoi ?

– Je te trouve ce matin d'une indécente jovialité.

Jean se pencha sur ses dossiers pour dissimuler un sourire. Il savait très bien ce qui le mettait ainsi en joie.

**

À midi moins le quart, Bidart ressortit de son bureau et retrouva son équipe.

– Les enfants, je vous propose un déjeuner vite fait, bien fait, chez Paul et Marinette. Ça vous va ? Martine, vous venez avec moi. Jean, vous prenez votre Harley-Davidson, parce qu'on n'aura pas le temps de vous déposer après.

Jean, écœuré par ses Craquougnou, se serait bien passé d'un déjeuner, d'autant qu'il dînait le soir au restaurant. Martine avait dans son sac son sachet de Slim Fast au chocolat. Mais le patron avait l'air si content de sa suggestion qu'il eût été maladroit de refuser.

Le restaurant de Paul et Marinette se trouvait au fond de la rue Nétien, une impasse pavée perpendiculaire aux quais de la rive droite, derrière le port autonome.

Ce modeste bistro d'une propreté exemplaire, et dont l'essentiel de la clientèle était constitué d'employés des entrepôts voisins, offrait à ses habitués une atmosphère bon enfant qui avait séduit Bidart dès sa première visite.

Marinette, toujours en blouse blanche, mitonnait une cuisine familiale, ainsi que l'annonçait d'ailleurs l'enseigne en façade, tandis que Paul, coiffé comme un tapis-brosse, tenait la salle et le bar. Bien que n'étant plus d'une prime jeunesse, ils se montraient l'un et l'autre aussi actifs qu'avenants. Enfin, pour clore ce panégyrique, il faut dire qu'on ressortait de l'endroit rassasié avec un menu à tout juste cinquante francs.

Paul, qui connaissait les activités de Bidart, lui réservait habituellement une petite table un peu à l'écart où il pouvait parler tranquillement.

Tandis que Martine, le nez en l'air, parcourait l'ardoise au-dessus du bar, se demandant si elle allait succomber au bœuf miroton ou au poulet chasseur, Morel ouvrit son cahier Clairefontaine.

– Voilà, dit-il, Guillaume Halleur est né en 1937. Il avait donc soixante-deux ans. Il a été marié une première fois à une Adélaïde Fontaine, dont il a eu un fils, un dénommé Frédéric, dit Frédo, qui doit aujourd'hui approcher de la quarantaine. Le mariage n'a pas dû tenir bien longtemps. Apparemment le Frédo a mal tourné. Rien de méchant, mais de l'alcool et un peu de drogue. Il a été en désintoxication deux fois. Il vit aujourd'hui du côté d'Étretat avec une nana de son genre. Pas vraiment d'adresse fixe; ils ont un mobile home qu'ils déplacent de temps à autre.

Marinette apporta la tête de veau et les harengs pommes à l'huile.

– Alors, mademoiselle s'est décidée?

– Oui… Je vais prendre le miroton; est-ce qu'au lieu des pommes vapeur en garniture, je pourrais avoir des pommes sautées comme avec la grillade?

– Évidemment.

Morel se tapota l'estomac en adressant un clin d'œil à Martine.

– Bon, je continue. Halleur s'est remarié en 1966 avec Marie-Élisabeth Letourneur, dont il a eu deux enfants. Michel, le pédé dont nous a parlé l'agent immobilier, qui doit avoir trente-deux ans, et Mathilde, qui en a vingt-huit ou vingt-neuf. Guillaume Halleur n'a pas eu beaucoup de chance avec les femmes : Marie-Élisabeth est morte des suites d'une longue maladie, il y a une quinzaine d'années. Michel a toujours vécu au moulin et y est bien sûr resté depuis la mort de son père. Mathilde, elle, vit seule en région parisienne.

– Et tout ce petit monde-là ne travaille pas, évidemment…

– Affirmatif pour Michel et sa sœur. Le père les a certainement nantis de quelques biens qui leur assurent de quoi vivre. En ce qui concerne Frédéric, je ne sais pas pour l'instant, mais je devrais avoir l'information sous quarante-huit heures. Voilà les nouvelles du jour. Ah oui, dernier point : j'ai donc signalé comme vous me l'aviez demandé Marie-France Langlade et Pierre-Ange Lucchini sur le fichier des personnes recherchées. Vu leur parcours, je pense qu'ils doivent être dans le Sud-Ouest…

– Mangez, Sherlock Holmes, on va être en retard.

Martine, qui se souvenait de la boutade de la veille, sortit le nez de son assiette.

– À quel âge a-t-on l'honneur de pouvoir penser, chef ?

– Commencez par passer vos UV pour devenir brigadier, mon petit. On verra après.

**

L'avantage d'une sirène et d'un gyrophare, c'est qu'ils vous permettent de rattraper le temps perdu lorsqu'on vous a servi
un café trop chaud.

Tandis que Morel retournait à l'hôtel de
police sur son scooter, Bidart enfilait les
quais à vive allure pour gagner au plus vite
l'A28.

Il était tout juste deux heures lorsqu'ils
franchirent l'entrée du domaine. Un élégant
panonceau de bois laqué blanc indiquait en
caractères noirs, dans un style très grand
breton, le nom de la propriété : « Moulin de
la Dame blanche ».

Michel prenait son café devant la maison
sous un parasol, un teckel à ses pieds.

L'endroit avait effectivement de quoi
séduire d'emblée un promoteur. On imaginait sans difficulté ce délicieux vallon ver-
doyant moquetté en fairway, parsemé de
greens et de bunkers parmi lesquels conti-
nuerait de serpenter paresseusement la
Varenne.

Ici, à quelques mètres de cette magnifique
demeure à colombages dans le plus pur
style normand, transformée pour la cir-

constance en club house bien léché, quelques rupins mâles et femelles aux couleurs pastel travailleraient leur swing. Un peu plus loin, des membres se feraient servir des rafraîchissements en terrasse ; là se trouverait le parking réservé aux 4X4 intérieur cuir et coupés six cylindres ; enfin, là-bas, bordant le parcours, quelques villas formeraient un lotissement au nom charmant – « Le Clos de l'Abbaye », « Les Jardins de Varenne » ou Dieu sait quoi.

Mince, un peu chétif, bien trop couvert pour la saison, le teckel japant autour de lui, Michel Halleur se leva et vint à leur rencontre, l'air méfiant, le regard vissé sur le gyrophare magnétique que Bidart avait omis de retirer. Brun, déjà un soupçon dégarni, le nez un peu busqué, les oreilles légèrement décollées, il se tenait un tantinet voûté.

– Monsieur Halleur ?

Michel acquiesça d'un seul hochement de tête.

– Commandant Bidart, du SIR de Rouen, mademoiselle Lorbach, mon adjoint.

– Que puis-je pour vous ?

– Je suis chargé d'une affaire dont vous avez certainement entendu parler, un double meurtre à Rouen.

Halleur prit un air las.

– Décidément…

– Pardon?

– Jusqu'à quand ils vont nous faire chier, toute cette bande d'enfoirés!

– Je suis désolé de vous importuner. Mais peut-être avez-vous quelques informations qui pourraient nous être utiles?

Il se retourna, invitant d'un geste de la main Bidart et Lorbach à le suivre.

– Entrez, on va se mettre à l'ombre, on sera mieux.

Il les précéda dans une grande cuisine qui eût fait le bonheur d'un magazine de décoration. Tommettes patinées, imposante cuisinière en fonte aux cuivres rutilants, natures mortes de fruits, bassines et casseroles de cuivre aux murs, vieux buffet normand en chêne, rien ne manquait. Au centre, sur une vieille table de ferme au lourd plateau, trônait un grand bouquet de lupins.

– Asseyez-vous. Je vous sers un verre de cidre ou vous préférez du café? Il est encore chaud.

L'homme était à l'évidence crispé, mais tentait de le dissimuler. Bidart se demanda si la présence d'une femme policier en était la raison.

– Votre père est décédé il y a quelques mois, je crois.

– Hélas.

– Selon le rapport de gendarmerie, il ne fait nul doute qu'il s'agissait d'un suicide. Qu'en pensez-vous?

– Je n'en pense rien.

– Vous avez bien une idée...

– Mon père était devenu très dépressif, très sombre; il était miné par toute cette affaire de golf, tous ces types qui ne cessaient de le menacer. Il a peut-être craqué. Je n'en sais rien.

– Il y a quelque chose que je ne comprends pas très bien. Si votre père n'avait pas envie de vendre, ni de traiter avec ces gens, pourquoi ne les a-t-il pas mis à la porte une bonne fois pour toutes? On peut quand même se protéger des emmerdeurs!

– C'est moins facile que vous ne le dites quand l'ennemi est de taille. Que vous preniez Bonneval, Auvray, je ne sais pas si voyez qui c'est – Bidart acquiesça – ou notre cher maire, aujourd'hui député, tous ces gens-là ont le bras long et des relations. Alors je vous dis pas les menaces. Tout y est passé : la station d'épuration, la création d'une zone artisanale, la déviation de la route, un héliport, etc. Dans le même temps, mon père a fait l'objet de contrôles fiscaux qui étaient bien évidemment téléguidés... vu que les gens des impôts agissaient sur dénonciation. Manque de bol pour eux, la compta de mon père était nickel et il n'a jamais fraudé d'un centime ! Ils sont même allés jusqu'à faire une véritable campagne dans le pays pour laisser croire qu'il ne voulait pas de ce golf afin que les commerçants du coin ne s'enrichissent pas. Vous imaginez la tête qu'ils faisaient quand il allait faire ses courses à Saint-Pierre !

– Et vous, on n'a jamais essayé de faire pression sur vous, avant la mort de votre père ou depuis ?

– Avant, je comptais pour du beurre. Et maintenant, de toute façon, tout est bloqué par la succession.

– Parce que ?

– Parce que ma sœur ne veut entendre parler de vente à aucun prix.

– Je la comprends. Dites-moi, vous pouvez me resituer un peu le contexte dans lequel s'est produite la mort de votre père ?

Michel Halleur cligna nerveusement des yeux à deux ou trois reprises.

– Vous voulez dire le suicide en lui-même?

– Par exemple...

– Je n'étais pas là quand ça s'est produit. Il m'arrive de sortir le soir à Rouen et de rester dormir chez des amis, surtout si la soirée a été un peu arrosée, vous comprenez. Ce soir-là, c'était dans la nuit du 31 juillet au 1er août, je suis resté à Rouen. Ma sœur non plus n'était pas là, elle était partie passer le week-end à la mer avec une amie. C'est Fabienne, la petite bonne, qui l'a trouvé le matin.

– Où habite-t-elle, cette bonne?

– Chez ses parents, à l'entrée de la propriété lorsque vous arrivez de Bellencombre. Ils sont logés dans une maison de gardiens.

– Vous pourrez me montrer tout à l'heure l'endroit où ça s'est passé?

– Bien sûr. C'était juste derrière, à la cascade. Vous voulez que je vous fasse faire tout de suite un petit tour de la propriété?

Michel Halleur avait l'air fatigué, fragile. Son inquiétude paraissait progressivement céder le pas à une émotion qu'il contrôlait

mal. Il semblait qu'il eût pu éclater en sanglots d'une seconde à l'autre. Bidart pensa
que quelques pas à l'extérieur le déten-
draient peut-être.

Avec ses soubassements en vieilles briques, ses murs blancs aux colombages noirs,
ses fenêtres à petits carreaux et ses toits de
tuiles plates envahies de mousse, le moulin
avait un charme très anglais auquel parti-
cipait d'ailleurs un jardin de massifs multi-
colores dans lesquels régnait un savant
désordre de fleurs les plus variées. Ça et là,
dans les herbages alentour, de grands arbres
soulignaient la perspective des paysages. À
mesure qu'ils contournaient la maison, le
bruit de la cascade se faisait plus intense,
couvrant bientôt le chant des oiseaux et le
bourdonnement qui s'élevait des massifs.
      Michel s'avança sur un petit pont puis,
posant la main sur la rambarde, s'arrêta et
se pencha sur l'eau tumultueuse au pied de
la cascade.
      – Voilà, dit-il, c'est là qu'on l'a retrouvé.
L'eau qui s'échappe sous la vanne agit
comme un siphon. Si vous tombez là-
dedans, vous n'en ressortez pas !

– Et vous ne pensez pas que votre père ait pu être victime d'un accident ? Imaginons qu'il soit venu ici prendre l'air et qu'il ait eu un malaise, qu'il ait basculé…

– Pourquoi serait-il tombé de l'autre côté? Je suis désolé, commandant, je ne crois pas à cette possibilité. En plus, contrairement à moi, mon père avait une très belle santé, un mètre quatre vingt-cinq, solide comme un roc; je ne l'ai jamais vu malade, et encore moins avoir le moindre malaise.

– L'eau de la rivière est toujours déviée sur cette cascade, n'est-ce pas, la roue du moulin ne tourne plus?

– Cela doit faire plus de vingt ans qu'elle a été immobilisée; mon père a même fait démonter les axes à l'intérieur. On a simplement conservé cette roue pour le décor, en souvenir du temps où c'était un vrai moulin.

Michel Halleur avait repris sa visite des lieux.

– À part la chambre de mon père, qui, avec sa salle de bains et son bureau, constitue un petit appartement au rez-de-chaussée, toutes les autres chambres sont à l'étage. Vous voulez les voir?

– Non, ce n'est pas la peine, je crains que cela n'apporte pas grand-chose à mon enquête. J'aimerais par contre que vous me parliez un peu de votre famille.

Halleur se dirigea vers un grand tilleul sous lequel se trouvaient des meubles de jardin en fer forgé.

– Asseyez-vous, je vous en prie. Vous ne voulez toujours rien boire, mademoiselle ? Je dis «mademoiselle», mais je ne sais pas si je dois vous appeler comme ça... Je n'ai pas souvent affaire à la police.

– Je prendrai juste un verre d'eau en partant, je vous remercie.

Bidart repensa au hareng pommes à l'huile de chez Paul et Marinette.

– Ma famille, reprit Halleur, il n'en reste pas grand-chose. Ma mère est décédée d'une grave maladie il y a une quinzaine d'années. C'était une femme très douce et très discrète qui vivait dans l'ombre de son mari. Mon père, lui, a passé toute sa vie ici.

– Il ne travaillait pas ?

– Vous savez, nous avons trois fermes ici, deux autres dans le pays de Caux, des bois près de Neufchâtel plus quelques petits biens immobiliers à Rouen. Superviser tout cela suffit à occuper un homme.

– C'est à vous et à votre sœur de faire tout cela maintenant.

– Eh oui! Le malheur, c'est que notre père était très discret sur ses affaires, presque un peu cachottier, d'autant qu'il ne s'attendait évidemment pas à mourir. Du coup, ma sœur et moi sommes obligés de reconstituer toute sa gestion et sa comptabilité, d'aller voir les banquiers et les notaires pour comprendre comment tout cela fonctionnait.

– Votre sœur est mariée?

– Non.

– Elle travaille?

– Non plus. Elle vit en région parisienne, à Bougival. Avant, elle était ici pratiquement une semaine sur deux et même davantage. Mais depuis la mort de Papa elle ne vient pratiquement plus. Elle ne supporte pas de revoir la maison, et surtout la cascade.

– J'imagine que, comme beaucoup de filles, elle aimait tout particulièrement son père...

– Que oui! Mathilde et papa, c'était... comment dire? C'était une relation quasi amoureuse et passionnelle. Elle observait

LE FOND DE L'ÂME EFFRAIE

chacun de ses faits et gestes et vivait en fonction de lui. Si elle le sentait préoccupé, elle
le devenait aussi, elle avait toujours peur de
faire quelque chose qui risquait de lui
déplaire. C'était presque trop !

– Je souhaiterais la rencontrer un de ces
jours, vous pourriez me donner ses coordonnées ?

Bidart sortit son carnet.

– Bien sûr. Mais le mieux, c'est de l'appeler sur son portable. Elle se déplace beaucoup en ce moment.

– Et vous, si ce n'est pas indiscret, que
comptez-vous faire dans les mois à venir,
vous avez des projets ?

– Pas vraiment. J'avais pensé, à condition
bien sûr que ma sœur soit d'accord, ouvrir
une maison d'hôtes ici dans une des
annexes. Mais bon, rien de sérieux.

– Je vous demandais tout à l'heure si l'on
n'avait pas fait pression sur vous : le mot
était peut-être mal choisi. Disons plutôt :
est-ce que les éventuels acquéreurs ne vous
ont jamais fait des propositions pour que la
vente se réalise ?

– Je ne vois pas à quoi vous faites allusion.

– Eh bien, monsieur Bonneval – ou peut-
être quelqu'un d'autre, je ne sais plus – nous

a laissé entendre au cours d'un entretien que si la vente s'était faite vous auriez pu avoir une responsabilité dans le cadre de ce projet de golf. Vous ne voyez pas de quoi je parle ?

Martine Lorbach eut l'impression que les joues de Halleur se marbraient. Il cessa d'ailleurs de se balancer sur sa chaise et marqua une longue pause avant de répondre.

– Effectivement. Mais c'est à mon père qu'ils ont fait cette proposition. Ils pensaient qu'il serait heureux de me voir ainsi avec un emploi. J'ai bien sûr tout de suite refusé.

– Pourquoi donc ?

– Je n'ai pas l'habitude de changer de camp. Et, d'autre part, je suis certain qu'une fois l'affaire lancée ils n'auraient pas tardé à trouver un moyen pour me virer.

– Et si la proposition vous était faite de nouveau aujourd'hui, que feriez-vous ?

– Je les enverrais promener comme la première fois, et en plus je vous ai dit que ma sœur n'était pas vendeuse.

Bidart se leva et fit quelques pas en direction de la cascade. Il se pencha au-dessus de la vanne, que l'on commandait avec une roue dentée le long d'une crémaillère. De la mousse et de la rouille couvraient les dents de la roue. Rien n'avait bougé depuis des mois. L'eau aspirée au fond du bassin ressortait avec puissance de l'autre côté de la vanne. Nul doute qu'un corps projeté au fond avait peu de chances de resurgir à la surface.

Il revint vers Halleur.

— Si je comprends bien, vous rejetez donc l'hypothèse d'un meurtre.

— Elle m'arrangerait, vous imaginez bien ! Il y aurait un coupable à démasquer et à punir. Malheureusement, au fond de moi, je n'y crois guère. Je pense que papa a craqué et qu'il ne faut pas chercher ailleurs.

— Eh bien, je crois qu'on a fait le tour, comme on dit. Nous allons vous quitter. Et, selon la formule habituelle, si quelque chose vous vient à l'esprit, n'hésitez pas à nous appeler.

Passant devant la cuisine, il s'arrêta.

— Serait-il possible de jeter un coup d'œil à son bureau ?

Halleur les précéda à travers la cuisine, le salon et la bibliothèque.

– Voilà, c'est là.

Le bureau de Guillaume Halleur était une pièce d'angle aux murs entièrement habillés de boiseries. Là encore, comme dans les autres pièces que Bidart avait pu entrevoir, les beaux meubles d'époque et les tableaux ne faisaient pas défaut. Quelques livres reliés et une pendule Atmos se trouvaient sur la cheminée. Rien n'avait été déplacé sur le bureau : les stylos, les crayons, le sous-main, tout était là sans doute comme à la veille de la mort de Guillaume Halleur. Comment peut-on vouloir quitter la vie quand on possède un tel endroit ? se demandait Bidart. De nombreux cadres avec des photos étaient disposés çà et là. Mais il n'y en avait qu'un sur sa table de travail. On y voyait deux jeunes femmes blondes aux yeux clairs en train de rire. L'une d'elle accrocha immédiatement le regard de Bidart.

– C'est votre sœur, j'imagine, avec le chemisier vert ? Elle vous ressemble. Et qui est cette jeune personne à côté d'elle ? Une cousine ?

– Non, c'est Caroline Pouffard, la meilleure amie de Mathilde.

Bidart n'avait pas hésité un millième de seconde. C'était bien elle, avec son petit dia-

mant dans le nez, dont Bonneval avait dissimulé le portrait dans son bureau.

Il se garda de poser la moindre question
et sortit l'instant d'après de la maison, se
dirigeant maintenant vers la voiture.

Elle était restée en plein soleil et il ouvrit
grand les quatre portières pour laisser
entrer un peu d'air, tandis que Martine reti-
rait le gyrophare et le glissait sous le tableau
de bord.

Il referma les deux portières arrière puis,
comme si une idée venait de lui venir à
l'esprit, il se retourna vers Halleur qui se
tenait à quelques pas.

– Mais dites-moi, j'y pense tout d'un
coup : pas un seul instant nous n'avons
parlé de votre demi-frère, de Frédéric.

– C'est que... bredouilla Michel, aussi
surpris qu'embarrassé, c'est que... on ne le
voit jamais, c'est comme s'il n'existait pas ;
c'est pour ça que je ne vous en ai pas parlé,
commandant. Sinon, bien sûr que je l'aurais
fait.

Il se retourna, lâchant un inaudible
« Excusez-moi », puis s'écarta de trois pas,
portant ses mains vers sa figure.

Bidart s'approcha de lui. Il se cachait le visage et étouffait de gros sanglots.

– J'en peux plus, commandant, j'en peux plus…

– Ce n'est rien, venez, on va s'asseoir une minute.

Il l'entraîna vers la cuisine, faisant signe à Martine de l'attendre.

– Quand est-ce que je serai enfin en paix avec tout ça ?

– Racontez-moi un peu. Pourquoi ne vouliez-vous pas faire allusion à Frédéric ? Parlez, vous verrez, ça ira mieux après.

Michel se moucha à plusieurs reprises.

– Elle ne va pas m'en vouloir, la jeune femme, si on la laisse dehors ?

– Non, elle comprend très bien.

– J'aime pas pleurer devant une femme. C'est idiot…

– Mais non.

Michel Halleur but un grand verre d'eau, puis s'adossa à l'évier. Bidart s'était assis en face de lui.

– Voilà. Frédo, c'est… comment dire ? C'est une histoire très douloureuse entre nous. Il est né et a vécu au moulin. Et puis, quand sa mère a quitté mon père, il est parti avec elle. Ça a été une première déchirure pour lui. Il aimait beaucoup papa et je pense qu'il devait se dire qu'il reviendrait vivre ici un jour. Et puis je suis né quand il avait sept ans et il n'a pas supporté de voir son père avoir un fils avec une autre femme. Il m'a toujours haï et fait porter la responsabilité de tous ses maux. Il a tiré une croix sur Saint-Pierre et sur la famille. Notre père et ma mère ont tenté de nous rapprocher, mais sans succès. Frédo est devenu ce qu'on appelle un marginal. Pas de métier, pas de domicile, pas de famille, pas d'enfant. Il vit du côté de Fécamp avec une fille beaucoup plus jeune que lui.

– Et il vit de quoi ?

– De pas grand-chose, de petits boulots, de temps en temps il vend des trucs sur les marchés... Il a son honneur, et il a toujours refusé ce que papa voulait lui donner.

– Mais aujourd'hui, il fait partie de la succession ?

– Exact. Et je peux vous assurer que ce n'est pas simple. Un jour il veut ci, le lendemain il veut ça. Nous avons l'impression, Mathilde et moi, qu'il veut surtout nous embêter. En plus, évidemment, sa copine est très montée contre nous.

– Comment s'appelle-t-elle ?

– Anaïs. Anaïs Caillebotte, comme le peintre. Si vous saviez à quel point elle nous déteste, Mathilde et moi.

– Pas simple, tout ça...

– C'est surtout lourd à porter, commandant. Être accusé de quelque chose dont on n'est pas responsable, de simplement être né, c'est lancinant, vous ne pouvez pas savoir.

Bidart lui adressa un sourire qui se voulait réconfortant.

– Commandant, je vais vous demander une faveur.

– Si elle est dans mes moyens...

– Je sais que la police tient la presse au courant des affaires. J'aimerais, si cela ne vous dérange pas, que vous ne parliez pas de ces conflits familiaux. C'est trop humiliant.

– Mais pourquoi les journalistes s'intéresseraient-ils à cela ?

– Parce qu'ils l'ont déjà fait.

– Oui, je sais, il y a eu un article dans la presse régionale lorsque votre père est décédé.

– J'ai aussi eu la visite d'une journaliste il y a trois ou quatre semaines.

– Ah bon ? De quel journal ?

– Du *Réveil normand*. Elle semblait bien informée et voulait approfondir son enquête.

– Elle vous a laissé sa carte ?

– Non, je sais simplement qu'elle s'appelait Thérèse. Elle m'a dit qu'au journal tout le monde l'appelait Terry.

– Vous pouvez me la décrire ?

– Petite, menue, rousse, c'est tout ce dont je me souviens. Elle portait des lunettes de soleil très sombres.

– Que voulait-elle savoir ?

– Elle était au courant du projet de la Sogestrim. Elle voulait surtout que je lui parle de toute cette bande de salopards autour de Bonneval. Elle voulait connaître leurs noms, savoir ce qu'ils faisaient dans la vie, où ils habitaient.

– Et alors ?

– Je lui ai donné quelques noms, quelques détails dont je me souvenais.

– Et donc vous ne lui avez pas parlé de Frédo ?

– Bien sûr que non.

– Elle vous a dit quand paraissait son article ?

– Pas précisément.

– Bon, je vais essayer d'en savoir un peu plus ; je vous tiendrai au courant. Je vous

laisse, dit-il en se levant, ma jeune collaboratrice doit s'impatienter. En tout cas, n'ayez
crainte, je n'ai quant à moi aucune raison de
faire état de tout ce que vous m'avez dit
auprès de quelque journaliste que ce soit.
Mais, j'y pense, à propos de jeune femme,
savez-vous où vit Caroline Pouffard ?

– Oui, bien sûr. Son père a aménagé pour
elle une petite maison dans leur propriété
à Saint-Pierre. Mais elle est souvent à
Rouen pour son travail ; elle a un appartement place Saint-Amand, vous savez, à côté
de la cathédrale.

– Je ne savais pas qu'elle travaillait. Que
fait-elle ?

– Elle tient une boutique de décoration
qu'elle a montée avec une amie juste à côté,
rue Saint-Nicolas.

– Vous connaissez le nom de la boutique ?

– Oui, ça s'appelle Filigrane. Elles ven-
dent des abat-jour, des cadres, des objets en
cartonnage ; vous verrez, c'est très joli.

Tandis qu'ils arrivaient à la voiture,
Bidart se retourna pour regarder une fois
encore la maison.

– Belle demeure ! Mais, au fait, pourquoi
l'appelle-t-on le Moulin de la Dame blanche ?

– Oh, c'est une vieille histoire ! Une légende raconte que l'endroit fut un jour habité par des meuniers qui avaient une très jolie fille. Le fils d'un seigneur des environs en tomba éperdument amoureux et voulut l'épouser. Le seigneur s'y opposa, mais son fils ne voulut rien entendre. Le jour de la noce, on retrouva la jeune mariée vêtue de sa robe blanche noyée dans l'étang que vous apercevez là-bas. Depuis, on raconte que, certaines nuits, le fantôme blanc de cette jeune femme sort des eaux et vient punir les mécréants. D'où le Moulin de la Dame blanche.

– Amusant, répondit Bidart en refermant la portière. Et n'ayez crainte, on ne révélera rien aux journalistes. On va juste aller voir un instant votre jeune gardienne. C'est où, déjà ?

– Vous reprenez la route vers Bellencombre, c'est la première maison, à un peu moins d'un kilomètre.

Fabienne était seule à la maison, occupée dans le potager à remplir un panier de haricots verts, certainement les derniers de la saison. Voyant la voiture s'arrêter sur le bord de la route, elle crut d'abord que les occupants cherchaient leur chemin et voulaient un renseignement. Elle se redressa et marcha à leur rencontre, se demandant si cette belle blonde à l'allure sportive était la fille ou la petite amie du conducteur.

Pour ne pas l'effrayer, Bidart se présenta sans préciser qu'il appartenait à la brigade criminelle – une appellation qui fait souvent frémir.

Blonde paillasse, la silhouette légèrement enrobée pour son âge, le teint rose, la petite Fabienne aurait été une figurante parfaite dans un film sur les Vikings. L'arrivée de policiers ne sembla nullement l'émouvoir et elle répondit spontanément aux questions que Bidart lui posa.

Son père occupait depuis toujours les fonctions de jardinier au moulin; sa mère, quant à elle, avait longtemps été la bonne de la maison, mais, souffrant depuis quelques années d'arthrite, elle avait peu à peu laissé Fabienne prendre sa place, ne s'occupant désormais que de la cuisine lorsque ses patrons le souhaitaient.

Que pensait Fabienne de cette histoire? Elle n'avait même pas entendu parler du double crime de Rouen et n'eut aucun commentaire à formuler à ce sujet. Quant à la mort de Guillaume Halleur, elle ne savait trop que répondre. Elle confirma certes qu'il semblait très déprimé depuis plusieurs mois, mais de là à se suicider, vraiment elle ne l'aurait pas imaginé un instant. Elle parlait de son ancien patron avec une émotion qui trahissait l'attachement profond qu'elle lui avait porté – peut-être même en avait-elle été un peu amoureuse.

– Et comment ça se passe avec Michel et Mathilde, maintenant?

– Oh, mademoiselle Mathilde, on ne la voit plus. Elle est revenue une ou deux fois depuis l'enterrement, pas plus.

– Et Michel?

– M'sieur Michel, c'est pas pareil…

– C'est-à-dire?

– Il est pas comme son père, c'est pas le même genre d'homme.

Elle semblait un peu gênée.

– Vous voulez dire que Guillaume était le genre bel homme qui faisait beaucoup de choses, qui devait plaire aux femmes; alors

que Michel est plus réservé ; c'est cela, n'est-
ce pas ?

– Oh, m'sieur Michel, les femmes, vous
savez, il les aime pas beaucoup.

Bidart se pencha vers la petite bonne.

– Dites-moi, Fabienne, entre nous, ce que
vous voulez dire, c'est que monsieur Michel,
il est comme qui dirait un peu pédé sur les
bords, si je puis m'exprimer ainsi.

Bidart goûta la subtilité de l'expression
sans oser la faire partager.

– Ben, c'est-à-dire...

– C'est-à-dire qu'il préfère les hommes.
On peut en parler, vous savez, c'est pas un
crime !

– C'est quand même dommage...

– À chacun ses goûts, ma petite Fabienne.
Dites-moi, pendant qu'on en est aux confidences, Michel, il doit bien avoir un petit
copain. Vous le connaissez ?

Fabienne rougit.

– J'sais pas.

– Il m'a dit qu'il restait souvent dormir
chez quelqu'un à Rouen. Vous voyez pas qui
ça peut être ?

– M'sieur Dédé, je pense.

– André ? Mais oui, effectivement, il nous
en a parlé ! D'ailleurs on a oublié de lui

demander ce qu'il faisait comme métier. Martine, il faut qu'on retourne le lui demander. À moins que... que Fabienne ne le sache. Vous le savez, par hasard ?

– À ce qui paraît, il a un bar à Rouen ; ça s'appelle Les Années... quelque chose.

– Les Années folles ?

– Oui, c'est ça, j'me souviens.

– Eh bien, écoutez, Fabienne, on peut dire que grâce à vous notre enquête avance à grands pas. Ça ne vous dérange pas que je vous pose encore une ou deux questions ? Je vois que vous étiez en plein travail... Il est superbe, ce potager ; c'est votre père qui s'en occupe ?

– Ah, l'père il en est pas peu fier de ses légumes ! Non, mais j'ai l'temps si ça peut vous servir.

– C'est vraiment sympa, Fabienne. D'habitude, les jeunes se méfient toujours de la police. Alors que vous, vous faites partie des gens intelligents qui l'ont compris : tout ce qu'on essaye de faire, c'est d'aider la justice.

Fabienne dissimula avec difficulté un sourire de contentement.

– Oui, alors il y avait une question que je me posais. Je sais que Mathilde était très amie avec Caroline Pouffard. Qu'est-ce que vous en pensez, de celle-là ?

– Rien, c'est la fille du maire.

– Ben, justement, c'est pas n'importe qui, la fille du maire ! Vous y croyez, vous, quand les gens disent qu'elle était un peu la copine du père Halleur ?

– J'sais pas.

– Pourtant, s'il y a une personne bien placée pour avoir une idée, c'est vous !

– Ben, disons que c'est vrai que des fois elle venait le voir alors que mademoiselle Mathilde elle était pas là.

– Elle a déjà dormi au moulin ?

– Ben, j'sais pas. C'est vrai que deux ou trois fois, quand j'suis arrivée le matin, sa voiture elle était là. Mais m'sieur Halleur, y me disait comme ça que Caroline lui avait apporté le journal parce qu'il devait lire des choses importantes dedans pour ses affaires.

– Mais si je vous disais qu'on nous a dit que Caroline était amoureuse de lui, ça ne vous étonnerait pas ?

– Ben, non…

– Et monsieur Bonneval, vous le connaissez ?

– Non !

– Mais si, vous devez le connaître, c'est ce monsieur de Rouen qui voulait faire un golf.

– Ah ! le m'sieur avec la grosse Mercedes ?

– Oui, ça doit être ça. Vous l'avez souvent vu ?

– Pas vraiment, mais j'sais qu'il était souvent là et qu'il s'engueulait drôlement avec mon patron !

– On nous a dit qu'il était peut-être pour quelque chose dans la mort de monsieur Halleur. Vous y croyez, vous ?

– Que c'est lui qui l'a tué ? C'est pas possible !

– Comment pouvez-vous l'affirmer ?

– J'peux pas l'dire.

– Vous l'avez dit aux gendarmes ?

– Non !

– Fabienne, je vous donne ma parole que vous pouvez me faire confiance et que ce que vous dites restera entre nous. Mademoiselle Lorbach en est témoin.

Martine lança un regard noir de désapprobation à Bidart.

– Eh ben, reprit Fabienne, à ce qui paraît d'après les gendarmes, m'sieur Halleur serait tombé dans l'eau vers minuit. Et moi, jusqu'à une heure du matin, j'étais avec mon fiancé dans la cabane à l'entrée de la propriété. Vous m'jurez que vous dites rien à mes parents ?

– Juré !

– Alors s'il y avait eu une voiture qui était arrivée, je l'aurais forcément entendue.

Bidart posa sa main sur l'épaule de Fabienne.

– Fabienne, vous avez été formidable. Je vous donne ma parole que tout ça restera entre nous. Tenez, voilà ma carte. Si vous repensez à quelque chose d'important, appelez-moi.

À peine avaient-ils parcouru cent mètres que Bidart, donnant un grand coup de poing sur le tableau de bord, s'écria de toutes ses forces :

– Yaouh Rintintin ! Nom de Diou de nom de Diou… quelle récolte ! Vous vous rendez compte, Martine ?

– Vous ne trouvez pas que dans le genre faux cul, vous y êtes allé un peu fort avec la gamine ?

– Comment ça, la « gamine »… Elle a pratiquement votre âge ! Simplement, c'est une fille de la campagne, alors j'adapte mon discours.

– C'est vous le chef.

– Mais vous vous rendez compte de tout ce qu'on a appris cet après-midi ?

– On sait que Michel Halleur a une sœur, Mathilde, qui avait toutes les raisons de détester Levasseur et Vincenot. On sait que Michel et Mathilde ont un demi-frère avec qui ils ne sont pas en bons termes et dont la petite amie, la dénommée Anaïs, ne peut pas les encadrer. On sait que Guillaume Halleur n'a sans doute pas été assassiné, mais qu'il s'est suicidé. On sait enfin que Michel a pour petit ami le tenancier d'un bar. Effectivement, ça fait beaucoup…

– Et puis vous oubliez deux éléments de taille. On sait que l'assassin signe ses crimes avec un morceau de tulle blanc, ce qui nous donne toutes les raisons de penser qu'il veut par là s'identifier à la Dame blanche du moulin. Autrement dit qu'il vient punir, venger. Enfin, il y a une autre chose encore, particulièrement troublante à mes yeux, c'est la présence de Caroline Pouffard. Voilà une jeune femme qui est à la fois la fille du maire et la

meilleure amie de Mathilde, et dont le portrait se trouve à la fois dans le bureau de
Guillaume Halleur, dont elle aurait été la
maîtresse, et dans le bureau de Bonneval, qui
a tenté de le dissimuler lorsque nous lui
avons rendu visite. Comment peut-elle con-
cilier tout cela?

– Le mieux serait peut-être de le lui
demander…

– Gardien de la paix Lorbach, je n'y aurais
jamais pensé tout seul!

Un peu vexée, Martine se tut et regarda
le paysage. Bidart en profita pour accélérer.

Debout dans son cabinet de la rue du
Vieux-Pressoir, le docteur Marc Auvray contemplait depuis la fenêtre du troisième
étage un petit embouteillage comme Pontoise en connaît parfois à l'heure de la sortie
des écoles. Il se frotta le menton avec perplexité. Quelque chose le tracassait. Il avait
reçu en début d'après-midi un étrange coup
de téléphone de son ami François Bonneval.

Les obsèques de Vincenot avaient lieu le surlendemain, dans l'après-midi de samedi, à Bois-Guillaume. Bonneval s'était proposé de passer le prendre à Forges-les-Eaux, prétextant un rendez-vous dans le coin et suggérant d'ailleurs qu'ils dînent chez lui lorsqu'il le raccompagnerait.

– Pourquoi pas, avait dit Auvray, je demanderai à la bonne de nous préparer un petit frichti.

– Inutile, avait répondu Bonneval, je me charge d'apporter un casse-croûte et une ou deux bonnes bouteilles que nous boirons en souvenir de nos chers disparus.

Les deux amis s'étaient bien sûr téléphoné à plusieurs reprises dans la semaine et avaient maintes fois évoqué l'affaire. Pour Bonneval, c'était clair : Levasseur et Vincenot avaient dû tremper dans un sale trafic avec le milieu, voire la mafia. Sans doute n'avaient-ils pas été réglo, et ils avaient été punis.

Auvray, lui, ne croyait pas un seul instant à cette hypothèse.

Certes, Vincenot et Levasseur n'étaient pas très honnêtes et avaient magouillé plus d'une petite escroquerie ensemble, mais rien qui puisse mériter un tel châtiment.

Lui supposait bien davantage qu'ils avaient trop fréquenté l'univers des prostituées et que là se trouvait l'explication. Marié et ayant de surcroît depuis des années une maîtresse attitrée, il n'avait jamais participé aux ébats en groupe organisés par ses amis. Ceux-ci en avaient maintes fois parlé, allant parfois jusqu'à venir à Saint-Pierre-l'Abbaye accompagnés de créatures aussi vulgaires que sexy, auxquelles ils portaient un intérêt dont la nature ne laissait place à aucun doute. Il avait d'ailleurs été récemment témoin d'allusions à un chantage dont ils auraient fait l'objet au sujet d'une sombre histoire de photos. Tout cela lui avait paru infiniment plus plausible qu'une affaire avec le milieu ou la mafia.

Pourtant, cet après-midi même, une drôle d'idée lui avait soudain traversé l'esprit. Et si, s'était-il demandé, Guillaume Halleur éliminé, Bonneval s'était mis en tête de faire disparaître tour à tour tous les associés potentiels de cette affaire de golf ? Pourquoi pas ? Seul en piste, il aurait vite fait d'écarter les enfants Halleur et de mettre dans sa poche ce pauvre maire. Libre à lui de réaliser ensuite la plus grosse opération immobilière de sa vie, ajoutant au projet initial hôtels, piscines, tennis, héliport, quelques commerces… de quoi se rouler les pouces jusqu'à la fin de ses jours ! Bien sûr, dans un tel cas de figure, ce n'était pas lui qui avait trucidé ses amis un par un. Il avait un – ou une – complice. Et c'est là précisément qu'entrait en scène l'énigmatique femme dont la presse avait parlé. Bonneval n'avait-il pas laissé entendre qu'il avait une liaison secrète avec une jeune femme dont il n'avait jamais voulu révéler le nom ?

Or voilà qu'à l'instant même, alors qu'ils étaient au téléphone, Bonneval lui avait précisément dit que si son rendez-vous de samedi se prolongeait une charmante jeune femme passerait le prendre et qu'ils se retrouveraient à l'église de Bois-Guillaume… Vincenot n'avait-il pas été assassiné – a priori par une femme – alors qu'il revenait de l'enterrement de Levasseur ?

– Et qui est cette jeune femme, avait-il demandé à Bonneval, comment s'appelle-t-elle ?

– Tu verras, c'est une surprise, elle est ravissante… et tu n'as pas fini d'être étonné !

Un frisson le parcourut. Non, il ne voulait pas y croire. Il décida qu'il rappellerait Bonneval pour le prévenir qu'il irait à Bois-Guillaume par ses propres moyens.

Ce même après-midi, une jeune femme contemplait chez elle différents objets qu'elle avait disposé par terre sur une étole de shantoung noire. Il y avait un beau cutter, un de ces modèles qu'on utilise pour découper de la moquette ou du carton, une petite bombe de gaz paralysant, une fine matraque de caoutchouc noir et environ deux mètres de cordelette en nylon rouge et blanc. Enfin, elle tenait en main une petite arme qui aurait fait l'envie de bien des collectionneurs : un Baby Colt chromé de 1925, calibre 6,35, dont les plaquettes de la crosse étaient habillées de nacre. Un vrai bijou ! Elle le déposa à ses pieds et roula le tout dans l'étole.

**
*

Lorsque Bidart arriva au sixième étage du SIR, le bureau de Jean était vide. Il était tout juste six heures et quart. Yvonne sortait des toilettes avec une brosse à cheveux fluo à la main.

– Vous cherchez votre gamin ? demanda-t-elle.

– À tout hasard...

– Il a filé comme un zèbre à six heures pile. Je pense qu'il avait rancard avec une souris, il avait l'air excité comme une puce !

– Un zèbre excité comme une puce et une souris... Yvonne, vous aimez trop les bêtes.

Jean avait effectivement rendez-vous avec une souris. Mais pas dans l'immédiat. Thomas Bianchini l'attendait d'abord au squash pour une rapide partie. Le club se trouvait juste en face, de l'autre côté du pont Guillaume-le-Conquérant, et il lui fallait moins de trois minutes à scooter pour retrouver le jeune juge.

– Ça va, mec ?

– Comme tu vois... Turabras !

– Je vois surtout que l'humour reste toujours à un très haut niveau dans la police.

– Tiens, je vais t'en raconter une. Tu sais comment les mecs du roulage ont surnommé leur chef qui est une grande gueule ?

– Comment veux-tu que je le sache ?

– « Aigle 4 ».

– Et pourquoi ?

– Parce qu'en anglais ça donne *Eagle Four*... « Y gueule fort ». Fallait quand même y penser...

– C'est bien ce que je te disais, votre humour est insurpassable ! Dis donc, à propos de chef, il en est où, le père Bidart, sur l'affaire des types saignés par la mariée ?

– Ben, on est sur plusieurs pistes. Mais rien de solide !

– Il va quand même falloir vous magner un peu avant que le cinglé n'en charcute un troisième et que notre cher procureur s'en mêle. Tu y crois, toi, à l'idée que ça pourrait être une femme ?

– Difficilement. Et pourtant c'est ce qui se dessine de plus évident.

– Putain, t'imagines le genre de gonzesse... T'essaye de la sauter et couic, elle te coupe les couilles !

– Arrête, ça fait mal rien que d'y penser. Allez, viens, on va se faire quelques balles. Il faut que je me tire à sept heures. J'ai ran-

cardé une meuf et je voudrais passer me
doucher et me changer avant d'y aller.
   – N'oublie pas de mettre ton slip en
mailles d'acier !

   La dernière balle échangée à sept heures
moins une, Jean se précipita chez lui. Il
habitait place du Vieux-Marché, un charmant appartement de deux pièces dont les
quatre fenêtres ouvraient sur le spectacle
permanent qu'offrait la place.
   Objet de discordes, de contestations et
d'enthousiasme, l'endroit avait été aux
Rouennais un peu ce que le trou des Halles
fut aux Parisiens. Après moults débats, on
avait vu s'élever au milieu des maisons
moyenâgeuses et à deux pas des vestiges de
l'église Saint-Sauveur, paroisse qui avait eu
pour trésorier Pierre Corneille, un ensemble architectural avant-gardiste regroupant
sous un même gigantesque toit d'ardoises
une église, un marché et un monument
national à la mémoire de Jeanne d'Arc.
   Jean aimait descendre traîner sur la
place, regarder les étals de fruits, de pois-
sons, de fleurs; prendre un café à une terrasse ou encore aller s'asseoir dans l'église,
où il y avait toujours de la musique. Mais

ce soir-là il n'en avait guère le temps. Sitôt sorti d'une douche presque froide, il avait enfilé son costume beige, une chemisette à rayures, et avait descendu l'escalier en trombe pour être à l'heure devant la gare.

Le train venait d'arriver et Alice ne tarda pas à apparaître, comme entraînée par le flot des voyageurs. Elle n'avait pas cette fois-ci de grand polochon en bandoulière, mais simplement un petit sac à dos en cuir souple. Jean marcha à sa rencontre et lorsqu'il se pencha vers elle elle tourna légèrement la tête au dernier instant de sorte qu'il l'embrassa sans le vouloir à la commissure des lèvres.

– Le voyage t'a mise en appétit ?

Elle acquiesça d'un petit hochement de tête en regardant Jean dans le fond des yeux.

– J'ai réservé au Relais de la Closerie à Bonsecours, ça te va ?

– Mais t'es fou, c'est le restaurant le plus cher de Rouen !

– C'est peut-être aussi parce que c'est l'un des meilleurs. Allez, viens.

Un maître d'hôtel était sur le pas de la porte en train de changer une ampoule, et lorsqu'il vit le scooter se garer juste devant l'entrée de l'établissement il faillit demander à ces jeunes d'aller mettre leur pétoire un peu plus loin. Son regard hautain n'échappa pas à Jean qui l'interpella d'un geste de la main.

– Vous êtes le chasseur, j'imagine, soyez gentil de me le surveiller. Je vous laisse les clés ?

Vexé, l'employé ne répondit pas, se contentant de leur ouvrir la porte en marmonnant un : « Vous avez réservé ? »

La patronne, une jolie brune habillée avec classe, avait heureusement un plus grand sens de l'accueil et, tout sourire, conduisit Jean et Alice à la table qui leur était réservée.

Le Relais de la Closerie était probablement l'un des plus jolis établissements de toute la région. Au fil des années, Jean-Luc Thévenot, son propriétaire, maniant avec autant d'adresse la mailloche que le ciseau à bois, avait non seulement restauré chacune des pièces de cet ancien relais du XVIe siècle avec une perfection du détail à faire pâlir les fils du père Soubise, mais y avait de surcroît accumulé une remarquable collection de toiles dans la mouvance de l'école de Rouen qui, judicieusement éclairées, se détachaient dans la lumière tamisée de l'endroit. D'immenses bouquets de fleurs composés par Marie-France, son épouse, des tables chargées d'argenterie, le ballet feutré des serveurs, tout contribuait au raffinement de l'instant.

Les yeux étincelants d'Alice au-dessus d'une tulipe de champagne fixaient Jean.

– Tu n'es pas un peu fou, quand même, de m'emmener ici ? Tu aurais dû me prévenir ; je me serais habillée.

Jean leva son verre.

– À notre premier dîner au restaurant !

– Mais non, nous avons déjà dîné au restaurant une fois tous les deux ; tu ne te rappelles pas ? C'était il y a exactement trois ans, à L'Ours noir, à la foire Saint-Romain. Tu m'avais emmenée manger du cochon de lait.

– Oui, mais ça, ce n'était pas un vrai restaurant ; c'était une ginguette de forains.

– N'empêche qu'on s'était bien marrés et qu'on avait passé une bonne soirée.

– Tu te rappelles l'espèce de montagne russe sur l'eau ?

– Dis, Jean… Pourquoi tu ne m'as jamais rappelée depuis, je t'ennuyais ? J'étais trop gamine pour toi ?

Marie-France Thévenot venait de s'approcher de leur table et leur tendait une carte. Alice ne comprit pas d'emblée pourquoi la sienne ne comportait pas de prix.

Jean-Luc, qui était venu saluer quelques habitués, s'approcha.

– Bonsoir mademoiselle, bonsoir monsieur… Puis-je vous aider à composer votre menu ?

Il arborait une haute toque et une moustache flaubertienne au-dessus d'un immuable sourire.

– Que diriez-vous, pour commencer, d'une poêlée de poires et de foie gras ?

– Hmmm…

– Vous préféreriez ensuite un poisson ou une viande ?

Jean et Alice savaient aussi bien l'un que l'autre qu'ils vivaient un moment précieux. Quelque chose passait entre eux, cette émotion qui fait battre le cœur à peine plus vite et qui n'est autre que l'un des signes avant-coureurs de l'amour. La main d'Alice était souvent posée sur la table et rien n'eût été plus simple pour Jean que de la prendre dans la sienne. Mais il préférait l'effleurer et plonger son regard dans les yeux verts d'Alice.

Ils se connaissaient depuis des années. Ils se croyaient des camarades. Ils découvraient qu'ils allaient peut-être devenir bien davantage. Il leur fallait en apprivoiser l'idée, ne rien brusquer et peut-être commencer à mieux se connaître, aussi chacun parla-t-il de sa vie, de ses goûts, de ses sentiments.

Alice avoua à Jean qu'elle avait été très malheureuse durant toute son enfance, qu'elle n'avait jamais admis la mort de son père et que c'était bien sûr pour cela qu'elle avait voulu fuir Rouen. Sa vie à Paris lui plaisait. La petite librairie du passage des Deux-Sœurs, à quelques pas de l'hôtel Drouot, était un endroit sécurisant. Elle aimait les livres anciens, l'odeur du papier, l'écriture des auteurs qui les avaient parfois dédicacés, l'idée qu'un écrivain célèbre, aujourd'hui disparu, en avait feuilleté les pages, caressé avec fierté la couverture.

Jean savait qu'elle était proche de son patron – trop proche, d'après ce que lui avait dit Bidart –, mais il se gardait bien de faire allusion à celui qui déjà le rendait jaloux.

De même se garda-t-il de parler de son travail, ce qui aurait inévitablement conduit à parler de Bidart, et Jean savait combien le sujet était glissant.

Alice ne parla d'ailleurs pas un seul instant de sa mère et de son beau-père. Elle évoquait certains passages de sa vie comme si ces deux-là n'avaient même pas existé.

Mais elle interrogea toutefois Jean sur l'affaire qui les accaparait l'un et l'autre. Elle voulait savoir s'ils étaient sur des pistes sérieuses, qui étaient les principaux suspects, si l'on avait une idée des mobiles de l'assassin, si l'on pensait que d'autres personnes allaient encore avoir droit au même sort.

La farandole des fromages passée, la tarte fine, la glace au lait d'amande et les mignardises avalées, sans oublier le verre de vieux calvados offert par le maître des lieux, ils retrouvèrent avec bonheur la fraîcheur de la rue.

Pour redescendre vers Rouen, Jean emprunta la route de la Corniche et s'arrêta un instant sur un terre-plein d'où l'on avait une vue sur toute la ville. Ils descendirent du scooter et s'avancèrent jusqu'à la rambarde.

Alice se tenait juste devant Jean.

– C'est beau une ville la nuit.

Jean posa sa main sur la nuque d'Alice.

– C'est peut-être le moment, dit-il...

Elle se retourna et approcha son visage du sien.

– Le moment de s'embrasser...

La nuit était douce et ils s'attardèrent bien une heure à goûter ces premiers moments de plaisir. On voyait en bas scintiller mille et une lumières; au loin, celles des bateaux le long des quais, plus près, celles de la ville avec, au milieu, la flèche illuminée de la cathédrale, la «grande pyramide de ferraille», comme l'avaient surnommée les Rouennais, peu sensibles aux œuvres de Viollet-le-Duc.

– Tu vois l'église à droite de l'abbaye de Saint-Ouen ? demanda Alice.

– Saint-Vivien?

– Oui. Eh bien, juste à gauche, derrière les arbres du jardin de l'hôtel de ville, c'est là que se trouvait le restaurant de mon père, rue de l'Abbé-de-l'Épée. Tu l'as déjà vu ?

Bidart avait montré l'endroit à Jean, mais il fit mine de ne pas le connaître.

– J'ai dû passer devant, mais je ne vois pas à quoi il ressemble. C'est une petite rue, non ?

– Tu sais quoi ? On va rentrer là, maintenant, et on va passer devant ; ça me ferait plaisir que tu voies la maison où il y avait le restaurant.

La rue de l'Abbé-de-l'Épée était en fait une courte impasse au bout de laquelle des grilles ouvraient sur les jardins bien ordonnés de l'hôtel de ville. Au tout début de la rue, faisant l'angle avec la rue Bourg-l'Abbé, se dressait une vieille maison à colombages. Une inscription sculptée au-dessus de l'une des portes indiquait la date de 1615. Le rez-de-chaussée était toujours occupé par un restaurant ; c'était devenu une crêperie. Alice prit la main de Jean. Il eut l'impression qu'elle tremblait légèrement.

– C'est là. C'est une belle maison, tu ne trouves pas ? Quand mon père tenait le restaurant, ça s'appelait Aux Compagnons du

Tour. C'était quand même mieux qu'une crêperie !

– C'est un drôle de nom pour un restaurant...

– Je crois que mon père avait été assez marqué par le compagnonnage, et il voulait que son restaurant soit un peu comme ces anciennes auberges où les compagnons du tour de France faisaient halte.

– Ça devait attirer aussi les amateurs de vélo !

– Tu dis ça en plaisantant, mais figure-toi que l'endroit était devenu un repaire de cyclistes ! Du coup, mon père avait même mis aux murs quelques photos de champions. C'est drôle, la vie.

Il y eut un petit silence, puis elle reprit :

– Tu te rends compte, si ce salaud de Bidart n'était pas venu bouffer là, j'y serais peut-être ce soir, en train de débarrasser les derniers couverts...

– Il faut pas dire ça, Bidart n'a rien fait de mal. Il est tombé amoureux comme moi je suis en train de tomber amoureux de toi. Et si tu avais été dans le restaurant, peut-être que moi aussi j'aurais pris l'habitude de venir y prendre mes repas pour te voir, même s'il y avait eu déjà quelqu'un dans ta vie. Allez, viens, dit-il en lui reprenant la main. Tu vas comment au Havre, demain ?

– En train, évidemment.

– Tu veux que je demande ma matinée pour t'accompagner ?

– Tu es gentil, mais je retrouve ma copine à la gare. Et puis, Rouen-Le Havre à scooter, ça fait loin, non ?

– J'aurais emprunté une voiture.

Jean la déposa quelques instants plus tard rue Victor-Morin.

– Toi et moi… c'est un secret ?

– Un secret rien qu'à nous, dit-elle en pointant du visage la maison. Toi, ce soir, tu courrais après des voyous, et moi je dînais avec une copine, OK ?

– Et on se revoit quand ?

– Tu viens voir ta mère à Paris, ce week-end ?

– Ma mère, je sais pas, mais toi oui !

– On s'appelle.

– Et merci pour la soirée ; c'était le plus beau dîner de ma vie.

*

Marianne voguait à travers la nuit en Lexomil sur une mer calme, poussée de temps à autre par un discret ronflement.

Bidart, lui, ne dormait pas, mais il n'alla pas voir Alice pour ne pas se détourner de ses pensées ; une fois encore il faisait le point sur cette affaire à laquelle il espérait maintenant un dénouement rapide – même si aucune des pistes qui se dessinaient n'avait pour l'instant sa faveur. Elles semblaient même s'embrouiller.

Pas plus tard que ce soir, il était allé prendre un verre aux Années folles, le bar homo tenu par l'ami de Michel Halleur. Situé sur la rive droite dans une petite rue perpendiculaire aux quais, l'endroit ressemblait de l'extérieur à un banal pub. Des rideaux à mi-hauteur masquaient la vue au quidam depuis la rue et entretenaient la pénombre qui sied à un tel lieu. Quelques lampes en pâte de verre et des photos d'artistes de l'époque suggéraient vaguement une ambiance 1930. La clientèle, essentiellement masculine, sirotait des cocktails exotiques, certainement très diurétiques à en juger par le nombre d'allers et venues de ces messieurs aux toilettes.

Un petit malfrat qui traînait là avait reconnu Bidart et s'était empressé de prévenir le dénommé Dédé. Celui-ci avait pris les devants, fait assez rare dans ce milieu, et était venu de lui-même vers le policier.

– Bonsoir, commandant. Je suis très honoré de votre présence dans mon modeste établissement. Je vous offre un verre au bar?

Au fond de lui Bidart s'était entendu répondre : «À moins que tu veuilles te mettre à table tout de suite, salopard!»

– Volontiers, monsieur… monsieur comment, déjà?

– André Marchand, Dédé pour les intimes. Qu'est-ce que je vous offre? Chivas, Veuve Clicquot, un bourbon?

– Pourquoi pas une coupe de Veuve Clicquot? Ça me rappelle une jeune personne fort jolie qui adorait ça. Peut-être même d'ailleurs la connaissez-vous, une certaine Marushka, je suis sûr que vous avez dû la rencontrer.

– Vous savez, commandant, si Marushka était son surnom et que sur sa carte d'identité elle s'appelait en réalité Jean-Paul ou René, il y aurait eu des chances. Mais sinon, la clientèle féminine, c'est pas vraiment le truc de la maison, comme vous pouvez le constater.

Bidart apprécia le sens de la repartie, mais au fond de lui une petite lumière rouge avait clignoté, un dispositif réservé aux vieux flics... Le type n'était pas net sur ce coup-là. Soit il connaissait Marushka, soit il en avait entendu parler, mais ce nom ne lui était visiblement pas étranger.

Toujours aussi sûr de lui, André Marchand reprit :

– Vous êtes entré ici par hasard parce qu'il y avait de la lumière, ou c'est Michel qui vous envoie ?

– Disons que Michel a dû parler de vous dans la conversation et que ça m'a donné envie de venir faire un tour.

– Drôle d'affaire, tout ça, hein ? Ça doit être passionnant de mener une enquête comme vous le faites.

Dédé avait généreusement rempli les deux verres et levait le sien.

– Allez, tchin, commandant, à votre succès !

Bidart fulminait intérieurement. Il en faisait trop, ce con.

– Dites-moi, monsieur Marchand, vous qui connaissez tout ce petit monde, que pensez-vous de Mathilde, la sœur de Michel, et de sa copine Caroline, la fille du maire ?

– Drôles de petites nanas toutes les deux !

– C'est-à-dire ?

– Des petites bonnes femmes avec des airs d'ange qui ont l'air toutes fragiles et qui, en réalité, sont plus costaudes et plus détermi- nées que bien des mecs !

– La rumeur, mais ce n'est que la rumeur, laisse supposer que les deux meurtres auraient pu être commis par une femme. Vous imaginez l'une d'entre elles en train de faire ça ?

– Allons, commandant, vous ne voulez pas que j'accuse de meurtre des jeunes femmes que je connais depuis des années et qui sont pratiquement des amies ! Et d'ailleurs, entre nous, pour quelles raisons iraient-elles tuer de pauvres bonshommes qui ne leur ont rien fait ?

– Bien sûr que je ne vous demande pas d'accuser qui que ce soit. Nous ne faisons que parler comme ça, comme on le fait au comptoir d'un endroit agréable en prenant un verre. Mais, pour en revenir à la question que vous posiez, moi je peux très bien vous trouver des mobiles qui tiennent parfaitement la route.

– Vous savez faire ça, vous ?

– Mathilde, par exemple. Son père a été véritablement poussé au suicide par une bande de types qui voulaient le moulin. Elle peut très naturellement avoir envie de se venger. Ça suffit amplement pour aller tuer des gens qu'elle considère comme des assassins.

– Et Caroline ?

– Pareil, elle se venge ! Vous savez bien qu'elle était un peu la maîtresse de Guillaume Halleur ?

– Caroline, la maîtresse de Guillaume ? D'où sortez-vous un truc pareil ?

– Et pourtant, il en est ainsi… c'est la vie ! Et parfois la mort, d'ailleurs. Vous savez, monsieur Marchand, un flic, ça n'est jamais qu'une espèce de robot programmé pour accuser.

– Drôle de métier…

– Tenez, même avec vous, je pourrais arriver à trouver un mobile pour être mêlé à cette affaire !

Pour la première fois, Dédé sembla perdre un peu de sa superbe.

– Moi ? Ça m'étonnerait bien ! Qu'est-ce que j'en ai à foutre, de toute cette histoire ?

– Eh bien… laissez-moi réfléchir… Oui, ça y est, j'ai trouvé. Imaginez, je dis ça comme ça, que ce projet de golf et d'immobilier vous paraisse une bonne idée, si bonne que vous regrettiez de ne l'avoir pas eue vous-même. Comment récupérer le coup ? Tout simplement en éliminant ceux qui sont déjà sur l'affaire : Levasseur, Vincenot… en attendant le tour de Bonneval et des autres. Et pour être tranquille, vous camouflez le meurtrier sous une identité féminine, la Dame blanche qui vient faire justice… et le tour est joué ! Il ne vous reste plus qu'à convaincre Michel Halleur, sur qui vous avez certainement beaucoup d'influence, de vendre quelques biens pour amorcer le projet. Vous voyez que c'est facile de fabriquer un suspect !

Marchand voulut masquer son émoi en avalant d'un trait le fond de son verre de whisky, ce qu'il fit un peu trop vite. Il se mit à tousser.

– Allons, ne vous étouffez pas ! Ce n'est pas le verre du condamné ! Je n'ai dit tout ça que pour vous montrer combien il était facile d'échafauder des hypothèses.

– Attendez, reprit Marchand, il y a quand
même dans votre raisonnement quelque
chose qui cloche. Si la rumeur dit que le
meurtrier est une femme, comment aurais-
je pu passer pour une femme? Vous avez
quand même vu la gueule que j'ai? J'ai pas
l'air d'un travelo! Et puis j'ai rien à cacher :
vous ouvrez n'importe quelle page de mon
agenda, j'ai toujours un alibi; je suis clean,
moi!

– Évidemment que vous êtes clean. Et
vous savez pourquoi? Parce que vous, monsieur Marchand, dans cette affaire, vous
êtes le cerveau. Les exécuteurs des basses
œuvres, c'est… ben tiens, c'est par exemple
la fameuse Marushka aidée par son copain
Lucchini! Et, entre nous, il ont plus à y
gagner qu'en faisant des photos porno!
Vous ne croyez pas?

Marchand était en train de se dégonfler
lentement mais sûrement, comme une roue
de bagnole mortellement touchée par une
vieille pointe.

Il essaya dans un dernier soubresaut de
riposter, mais la démonstration du policier
l'avait scié :

– Je ne sais même pas de qui vous parlez.
Je vous ai dit que je ne connaissais aucune

Marushka, et je n'ai jamais entendu parler d'un quelconque Lucchini...

– Mais calmez-vous, enfin, je vous répète que tout ça n'était qu'un jeu pour vous montrer qu'en chacun de nous sommeille un coupable idéal aux yeux d'un flic. C'est tout. Allez, je vais vous laisser travailler. Bonsoir, monsieur Marchand, et merci encore pour le champagne.

Marchand approcha une main hésitante du seau :

– Je vous en ressers une goutte ?

– La prochaine fois.

V

Vendredi 25 octobre

Bidart ne s'attarda pas longtemps devant son café matinal. Marianne parlait à sa fille des travaux de jardinage qu'elle comptait entreprendre au printemps prochain, projets auxquels il était peu sensible et à l'égard desquels on ne lui demandait d'ailleurs pas son avis. Et puis, surtout, il avait mille et une choses à faire ce jour-là.

La toute première fut de téléphoner à Gaston Lacroix, le rédacteur en chef du *Réveil normand*.

Ainsi qu'il l'avait subodoré, aucune journaliste ne répondait au prénom de Thérèse, ni au surnom de Terry. De même, aucune collaboratrice ne correspondait à la description qu'en avait donnée Michel Halleur. Enfin, pour Gaston Lacroix, le suicide de Guillaume Halleur était une affaire classée depuis belle lurette et personne n'avait de raison de s'y intéresser.

Mais les questions de Bidart suffirent à éveiller le fin limier qui sommeillait en lui.

– Tu cours après qui, là ?

– On avait un petit doute sur le suicide, c'est tout, et comme il nous a été laissé entendre qu'une journaliste s'était intéressée à l'affaire, je me demandais si elle venait de chez toi.

– Dis donc, Pierre...

– Quoi ?

– Tu me prends pour un innocent ?

– Un peu, tu le sais bien !

– Ta gonzesse soi-disant journaliste, elle serait pas dans l'affaire de tes deux crimes ?

– Gaston, t'es gentil, pour l'instant tu la fermes sur ce coup-là. OK ? Dès que j'aurai quelque chose pour toi, je t'appelle, promis.

– C'est bon.

Morel passa dans le couloir, son casque à la main. Bidart jeta un regard vers la pendule.

– On quitte à dix-huit heures, on arrive à neuf heures et demie, ça va ? Pas trop fatigué ?

– Je m'entraîne pour la semaine de vingt-neuf heures, chef !

– Paresseux et en plus insolent ! Ça te plairait, par hasard, une mutation dans un commissariat à La Courneuve ? À moins que tu préfères les Minguettes. En plus, tu ne serais pas loin de Saint-Cyr-au-Mont-d'Or au cas où tu voudrais devenir commissaire !

– Vous voulez un café, chef ?

– Va te faire f… ! Serré et sans sucre, s'il te plaît.

– Bien chef.

– Et que ça saute ! Je voudrais aller rendre une petite visite au notaire.

– Vous achetez une nouvelle maison ?

– Mais non, corniaud, Duparc, le copain de Bonneval.

L'étude Duparc & Lambert se trouvait à Bonsecours, à quelques centaines de mètres du Relais de la Closerie. C'était une grande maison de briques assez stricte qui se dressait en retrait de la route. À l'ombre de grands épicéas, le jardin, aujourd'hui devenu une cour gravillonnée, n'était orné que d'un massif d'hortensias bleus.

Un bureau de réception avait été aménagé dans ce qui jadis avait été le vestibule. Une femme, un peu dans le genre d'Yvonne, était affairée à ouvrir le courrier et à répondre au téléphone.

– Commandant Bidart, dit-il en montrant sa carte tricolore, nous désirerions voir maître Duparc.

– Maître Duparc est en rendez-vous, je vais voir s'il peut vous recevoir après.

Elle décrocha un téléphone et chuchota quelques mots parmi lesquels « messieurs de la police ».

La réponse dut être aussi sèche que brève, car la grosse secrétaire parut un instant prise de court.

– Maître Duparc demande que vous preniez rendez-vous pour un autre jour.

Bidart sentit la pointe de ses oreilles le chatouiller.

– Eh bien, je crois que nous allons patienter dans la salle d'attente. Vous préciserez à maître Duparc que « ces messieurs de la

police » sont des officiers de la brigade criminelle.

Les quarante minutes passées sur
d'inconfortables chaises de Skaï vert SNCF
collection 1965 donnèrent tout le loisir aux
deux hommes de parcourir la demi-douzaine de *Paris-Match* et de *Figaro Magazine*
antédiluviens posés sur la table basse.

– Que puis-je pour vous, messieurs ?
Maître Philippe Duparc se tenait dans
l'embrasure de la porte, le torse bombé
comme un coq. Mince, la crinière plutôt
sel que poivre, bien que n'ayant certainement pas la cinquantaine, le teint marbré,
des yeux bleus comme des pastilles à la
menthe encadrés des fines montures
dorées de ses lunettes, il paraissait aussi
froid qu'un polytechnicien à la direction
des ressources humaines d'une multinatio-
nale.

Bidart se déplia lentement, tandis que Morel terminait un article passionnant sur la vie sentimentalo-sexuelle de Lady Di.

– Vous pourriez, maître Duparc, nous donner votre avis sur des meurtres dont deux de vos amis ou relations ont été victimes.

– Disons plutôt relations qu'amis.

– Relations sexuelles, marmonna Morel en refermant son magazine.

– Pardon ?

– Non, je parlais de la princesse Diana, dit-il en se levant à son tour.

– Si vous voulez bien me suivre dans mon bureau ; nous y serons mieux pour parler. Mais je n'ai qu'un instant à vous consacrer et pas grand-chose à vous dire, messieurs.

– Ne vous en faites pas, nous avons l'habitude.

On prétend toujours que le dépouillement et la vétusté d'un bureau de notaire sont proportionnels à sa richesse. Duparc ne devait pas avoir de mal à boucler les fins de mois.

Un bureau de maître d'école en bois clair, trois fauteuils inconfortables – décidément – et un cartonnier dans le style Empire revu par les Galeries Barbès constituaient tout le mobilier de cette grande pièce au premier étage. Sur le bureau trônaient une lampe chromée dans le plus pur style des années cinquante, un téléphone en Bakélite, une pile de dossiers maintenus par de gros élastiques et une pendule telle qu'en reçoit un chef de rayon de la part de ses sous-fifres pour fêter son départ en retraite.

– Je vous écoute.

– C'est plutôt nous qui allons vous écouter, maître. Vous étiez très lié avec Louis Levasseur et Michel Vincenot, je crois.

– Dois-je le répéter, il ne s'agissait que de simples relations. Ce qui n'enlève rien à la peine que l'on éprouve devant cette mort horrible qui les a frappés. Paix à leur âme.

– Et monsieur Bonneval, est-il de vos amis?

– Pas davantage. Pourquoi?

– Parce que votre nom figure en bonne place dans les répertoires de tous ces gens-là.

– En ma qualité de notaire, et parmi bien d'autres confrères, il m'est arrivé de rédiger des actes pour le compte de la Sogestrim. Mais rien de plus.

– Vous n'êtes donc pas lié, ni de près ni de loin, au projet immobilier de Saint-Pierre-l'Abbaye?

– J'ai été consulté à titre professionnel sur certains aspects de ce projet. J'ai donné mon avis, c'est tout.

– Votre avis sur quoi ?

– Je crains que cela ne relève du secret professionnel.

Bidart, qui, les mains sur les genoux, ne cessait de gratter une petite peau près de l'ongle d'un pouce, l'arracha à l'instant même.

– À ce stade de l'enquête, maître, et compte tenu du caractère informel de notre visite, il vous est possible de répondre ou non à mes questions. Cité comme témoin dans le cadre d'une affaire criminelle, il pourrait en être autrement.

– J'entends bien, mais je ne peux rien vous révéler d'intéressant. Monsieur Bonneval et maître Vincenot m'ont simplement consulté sur les démarches à suivre pour racheter des terrains, demander des certificats d'urbanisme, etc.

– Ce sont pourtant des choses qu'un avocat et un promoteur devraient connaître.

– Que voulez-vous que je vous dise ?

– Eh bien justement, vous pourriez me dire qui, selon vous, avait intérêt dans leur entourage à les voir disparaître.

– Comment diable voulez-vous que j'en aie la moindre idée ?

– Je vais vous mettre sur une piste. Quelqu'un nous a dit que si les éventuels futurs associés de monsieur Bonneval dispa-raissaient, cela lui laisserait le champ libre pour réaliser cette opération tout seul. Qu'en dites-vous ?

Le visage de Duparc resta de marbre rose ; il ouvrit simplement la bouche comme un lézard pour laisser échapper :

– Rien. Vous croyez Bonneval capable d'être un assassin ?

– Grands dieux, je n'ai jamais dit ça ! J'ai simplement dit que, n'ayant plus d'associés, il pourrait conduire l'opération tout seul.

– Ah...

– Dites-moi une dernière chose. Vous savez, si vous avez lu la presse, qu'il semble-rait que l'assassin puisse être une femme. Connaissez-vous une certaine Marushka ?

– Pas le moins du monde.

– Et avez-vous déjà rencontré mademoi-selle Nadia Delpire ?

– La compagne de Vincenot ? Oui, comme ça, mais je ne sais rien d'elle.

– En résumé, vous ne connaissez que très peu tous les protagonistes morts ou vivants

de l'affaire qui nous occupe et vous n'avez
pas la moindre idée du mobile qui a pu pousser quelqu'un à tuer sauvagement deux
d'entre eux.

– C'est effectivement, commandant, un
bon résumé de la situation.

– Et vous n'avez bien sûr aucune piste
d'aucune sorte à nous suggérer ?

– Je ne suis pas dans la police, messieurs,
dit-il en commençant à se lever. À chacun sa
croix. Croyez bien cependant, que si je pouvais vous être d'une aide quelconque, je
n'hésiterais pas un seul instant.

– Nous en sommes convaincus, répondit
Bidart en se levant.

– Connard ! lança Bidart en se penchant
pour mettre la clé dans le contact. Et, à part
les fesses de Lady Di dans *VSD*, qu'avez-
vous retenu de cet entretien, mon cher
adjoint ?

– Rien. Sinon j'aurais déjà ouvert ma
grande gueule comme d'hab. Il ment, c'est

certain. À le voir sur les photos prises à l'enterrement de Vincenot, il connaissait tout le monde et semblait autrement loquace qu'aujourd'hui. Il connaissait évidemment les deux putes puisqu'on a les photos. Mais pourquoi ce mutisme devant nous ? Vous croyez que c'est lui qui a fait le coup ?

– Je ne dirai pas non à cent pour cent. Il a une tête de psychopathe.

– C'est trop subtil pour moi.

– Midi moins le quart... Vous déjeunez où ?

– Je comptais aller à la cantoche du conseil général ; j'en ai un peu marre des crudités de notre cafét'. Et vous ?

– Je voulais me faire couper les cheveux. Passez-moi mon portable, je vais appeler l'ami Cauchois pour savoir s'il peut me prendre tout de suite. D'ailleurs je vais lui proposer de casser une graine dans un bistro à côté. Vous ne voulez pas venir avec nous ?

– Pour me faire tondre, non merci. Pour un croque-monsieur, par contre...

**

Situé rue Martainville, à l'angle de la place Saint-Marc, le salon d'Armand Cauchois ne payait pas franchement de mine au premier regard. En comparaison de ces salons franchisés meublés design, éclairés comme des vitrines de Noël et grouillant d'appétissantes shampouineuses de blanc vêtues, l'endroit avait quelques années de retard. Pourtant, l'adresse faisait partie de celles qu'on se refile entre initiés. Cette discrétion était à l'image de l'homme. Meilleur Ouvrier de France, lauréat de mille et un concours – et notamment finaliste des championnats du monde par équipe –, il jouait du ciseau comme d'autres du stradivarius ou du maillet, capable en moins de deux de sculpter dans la chevelure d'un Souchon celle d'un Clark Gable.

Comme tout coiffeur qui se respecte depuis la nuit des temps, Cauchois savait tout de tous ses clients, et cela dans chacun des trois ou quatre établissements qu'il possédait en différents lieux de la ville. À côté de lui, les RG faisaient bien souvent figure de plaisantins.

Penché sur Bidart, il faisait chanter à deux mille tours-minute ses petits ciseaux.

– Ce que je pense de Bonneval ? C'est qu'il est sans surprise. À l'intérieur, c'est comme à l'extérieur : du pur porc. Il traite ses employés et ses fournisseurs comme des chiens et écraserait n'importe qui pour gagner une plaque.

– Tu le crois capable de…

– Attention, le type est malin, très malin même, et il n'a pas envie d'aller croupir dans une prison. S'il est dans le coup, fais-moi confiance qu'il a dû sérieusement verrouiller l'affaire pour que ce soient d'autres que lui qui prennent des risques.

– Tu ne sais rien des femmes qui sont autour de lui ?

– Rien.

– Et Duparc ?

– Un faux cul de première.

– C'est ce que je pensais.

– Eh bien pense sans bouger la tête, sinon je vais te faire une coupe à la Van Gogh !

– Tu crois que Duparc…

– Duparc est un tordu. Il aime le pognon, il en a beaucoup gagné, mais il ne le montre pas ; il a un petit côté parpaillot. Lui, un assassin ? Il faudrait faire étudier son cas par un psychiatre. Je ne le vois pas non plus se mouillant avec des voyous. Il est trop prudent. Par contre, c'est le genre à manipuler dans

l'ombre de grandes gueules comme ton Bonneval…

– Ou comme le maire de Saint-Pierre ; tu le
connais, celui-là ?

– Ploufard, Ploucard… ça pèse pas lourd,
ça ! C'est plutôt une marionnette par rapport
aux deux autres.

– Et pour terminer ce tour d'horizon, Nadia
Delpire, ça te dit quelque chose ?

– Absolument rien !

– Une grande brune plutôt jolie qui bosse
dans la parfumerie à côté du Gros-Horloge…

– Non, mais je demanderai à Monique au
magasin de Darnétal, elle a travaillé deux ans
là-bas. Peut-être qu'elle la connaît.

Armand approcha un miroir de la nuque
de Bidart.

– Ça te va, ma poule ? T'es belle comme le
jour !

– Parfait. On se fait une petite croûte vite
fait ?

– Vite fait, parce que j'ai une cliente dans
vingt minutes.

Morel lisait *Moto Magazine* dans le bar-
tabac du coin.

– Ça va, jeune homme ? Toujours au travail ?

– Ah, bonjour monsieur Cauchois, comment allez-vous?

– Tu sais que, maintenant que tu as fini ta puberté, tu as le droit de me tutoyer.

– Méfie-toi des jeunes, Armand! Il vaut mieux garder ses distances.

L'instant d'après, le patron déposait sur la nappe deux pieds de mouton à la rouennaise, un croque-monsieur pour Morel et un côtes-du-rhône de chez Dubœuf.

– Ça boit, à cet âge-là? demanda Cauchois en avançant la bouteille vers Morel.

– Modérément.

– À propos, comment va ta belle-fille, toujours dans les vieux bouquins?

– Ouais, bof…

– T'as pas l'air chaud. Pourquoi tu ne lui trouves pas un petit boulot sympa à Rouen?

– Je ne suis pas sûr que ça suffirait pour lui faire quitter Paris.

– Tu sais ce qu'il lui faudrait pour qu'elle vienne? Un beau petit mec.

Jean détourna le regard, faisant mine d'observer quelque chose à l'extérieur.

– Pourquoi, reprit-il, tu ne la branches pas sur ton petit lieutenant? Ils feraient un beau couple tous les deux!

Jean sentit qu'il commençait à rougir.

– Tu crois pas que je le vois assez comme ça dans le boulot ? Et puis Jean, c'est un dragueur, pas le genre à se caser ! Pas vrai, Jean ?

– Je ne sais pas, mais en tout cas je suis content de voir qu'on pense à moi. Ça fait toujours plaisir.

Sitôt son café avalé, Cauchois se leva et alla payer l'addition.

– Bon, c'est pas tout ça, mais j'ai du boulot. Bonne sieste les fonctionnaires !

– Attends, Armand, dit Bidart en se levant, on va partager.

– Non, non, laisse tomber ; tu sais bien que j'adore corrompre la police ! Allez, tchao !

La rue Saint-Nicolas était à cinq minutes de marche et Bidart suggéra de laisser la voiture et d'y aller à pied.

Filigrane était une petite échoppe au rez-de-chaussée d'une maison moyenâgeuse comme il y en avait tant dans le quartier. La présence d'encorbellements signifiait qu'elle avait été construite avant 1520, date à laquelle une loi interdit toute construction de ce type. Les rues, devenues totalement obscures et dans lesquelles chacun jetait ses ordures, étaient infestées de rats dont on craignait qu'ils introduisent la peste, fléau qui s'était abattu déjà deux fois sur la ville, notamment au début du XVIᵉ siècle, emportant la moitié de la population.

Marie-Jo Galliani s'était associée deux ans auparavant avec Caroline Pouffard pour ouvrir cette boutique d'objets décoratifs et d'abat-jour. Elles disposaient à l'étage d'une grande pièce qui leur servait d'atelier et dans laquelle, presque chaque matin, elles accueillaient une demi-douzaine de femmes à qui elles apprenaient à réaliser des cadres, des vide-poches, des boîtes à tout et à rien qui faisaient sans nul doute l'objet de cadeaux à toute la famille et, du même coup, la fierté de ces dames, qui se découvraient avec émotion des talents manuels et artistiques jusqu'alors insoupçonnés.

Marie-Jo, dont les talents ne se limitaient pas aux activités de son magasin, était plongée dans un livre, absorbée par la recette d'un magret de canard au foie gras en feuilleté, lorsque Bidart poussa la porte.

Elle se disait déjà qu'elle avait devant elle un père et son fils venus chercher un cadeau pour maman quand Bidart extirpa sa carte tricolore de la poche intérieure de son veston, laissant apparaître le temps d'un éclair le holster d'où émergeait la crosse de son Smith et Wesson 38 Spécial.

– Mademoiselle Pouffard?

– Ah non, elle est absente pour la journée. Je peux faire quelque chose pour vous?

– Nous dire où nous pouvons la trouver.

Marie-Jo afficha une petite moue, l'air de dire : « Pas de chances, les mecs. »

– Ça va être difficile. Elle est partie pour toute la journée à Paris afin d'acheter des fournitures. Elle devait passer chez Rougier & Plé près de la République en fin de matinée. Mais je ne sais rien de plus.

Bidart lui tendit une carte de visite.

– Pouvez-vous lui demander de m'appeler dès qu'elle sera de retour? J'aurais besoin de son témoignage dans le cadre d'une affaire qui nous occupe actuellement.

– Pas de problème. Mais je ne pense pas qu'elle repasse ce soir. Elle devrait être là demain matin. Elle peut vous joindre le samedi?

– J'essaierai de passer la voir demain en début d'après-midi. Sinon, dites-lui qu'elle peut m'appeler lundi à partir de huit heures trente.

– Pas de problème.

Marie-Jo avait tout de suite fait le rapprochement avec l'affaire des deux meurtres, Caroline lui ayant révélé que les deux victimes étaient plus ou moins impliquées dans le fameux projet de golf.

De son côté, Bidart avait eu le regard immédiatement attiré par un petit pot duquel dépassait une demi-douzaine de cutters. Ils avaient bien sûr leur place dans un tel magasin, mais il n'avait pu s'empêcher de penser au rapport du légiste qui avait examiné les deux corps : « Blessures aux poignets provoquées par une lame très fine et très tranchante, du type cutter professionnel ou instrument chirurgical. »

**

Dix-huit heures trente venaient de sonner et le docteur Marc Auvray maudissait sa secrétaire. Non seulement elle fichait le camp le vendredi à dix-sept heures, mais elle avait en plus le toupet de lui prendre des rendez-vous jusqu'à dix-neuf heures. Il est vrai que mademoiselle Christine Honorin, avec qui il avait rendez-vous, s'était excusée de solliciter un rendez-vous à une heure si tardive, allé-guant que ses obligations professionnelles l'empêchaient de venir avant vingt heures, exception faite du vendredi, où, justement, elle finissait plus tôt.

Et puis, se disait Auvray pour se consoler, une consultation de vingt minutes à douze cents francs suivie à neuf chances sur dix d'une petite intervention à vingt ou trente mille francs méritait bien parfois un quart d'heure d'attente. Lui-même ne faisait-il pas parfois patienter ses clients près d'une heure ?

Marc Auvray était un plasticien – en d'autres termes, un spécialiste de chirurgie esthétique. À une époque où l'on veut rester jeune jusqu'à soixante-dix ans et où l'on fait une déprime pour quelques millimètres d'écart avec ce qu'on estime être les canons de la beauté, le métier nourrissait bien son homme. Lui dont les parents avaient toute leur vie trimé pour un salaire de misère, il s'était payé comptant sa maison de Pontoise, qu'il se plaisait à appeler «hôtel particulier», les deux cents mètres carré de son cabinet de la rue du Vieux-Pressoir et, voilà cinq ans, le petit manoir près de Forges-les-Eaux.

Il alla se servir un scotch, alluma la radio pour écouter le dernier flash de France Info, puis se laissa tomber dans l'un des fauteuils de cuir havane du petit salon qui jouxtait son cabinet.

Par chance, mademoiselle Honorin arriva avec quelques minutes d'avance. Elle sonna trois fois avec une certaine insistance.

– Pardonnez-moi, docteur, dit-elle lorsqu'il lui ouvrit la porte, votre secrétaire m'avait conseillé d'insister car elle m'avait prévenue qu'à cette heure-ci elle risquait de ne plus être là.

– Exact, répondit Auvray. Elle termine à dix-sept heures le vendredi, il y en a qui ont de la chance. Apparemment, vous ne faites pas partie de ceux-là.

Brune, les yeux clairs, Christine Honorin semblait de prime abord plutôt bien roulée, mais sans doute y avait-il un petit quelque chose qui la dérangeait. Il avait l'habitude.

– Je vous en prie, mademoiselle, dit-il en lui indiquant la porte de son cabinet ; asseyez-vous.

Il alla s'asseoir de l'autre côté de son bureau. Christine semblait un peu gênée. Elle regarda autour d'elle. De part et d'autre de la fenêtre, Auvray avait exposé dans des sous-verre des diplômes aux appellations ronflantes, certains semblaient même écrits en anglais. Des peintures modernes abstraites ornaient les murs. Hormis le bureau et les fauteuils, la pièce comportait une table d'auscultation qui tentait de mêler le caractère fonctionnel lié à son usage à un certain design pour l'assimiler à un meuble contemporain.

– Alors, mademoiselle, dites-moi ce qui vous amène.

– C'est mon nez, docteur.

Auvray retira ses lunettes et s'avança :

– Mais il est très joli, votre nez, vous avez un visage harmonieux, parfaitement symétrique. Vous êtes certainement très photogénique.

Il se leva et vint s'asseoir dans le fauteuil à côté d'elle.

– Vous permettez ? lui dit-il en lui prenant le menton pour lui faire tourner la tête. Oui,

c'est vrai qu'en matière de beauté c'est comme
en peinture ou en sculpture, on peut toujours
améliorer une œuvre. Mais, croyez-moi, dans
votre cas, il s'agirait vraiment d'une toute
petite intervention.

– Vraiment ?

– Je vous l'assure. Mais puis-je vous poser
une question ?

– Bien sûr.

– Pourquoi portez-vous un postiche ? Je ne
suis pas certain qu'il mette en valeur la finesse
de vos traits. Vous ne voulez pas l'enlever pour
que je vous voie au naturel ?

– Si, bien sûr, mais j'aurais aussi voulu vous
demander autre chose : j'ai une cicatrice un
peu mal placée, c'est une chose qui peut
s'enlever, n'est-ce pas ?

– Bien sûr, tout est possible. Elle est où,
cette cicatrice ?

– Je vais vous montrer, dit-elle en se levant,
juste en haut de ma cuisse. Je peux m'asseoir
sur votre drôle de table ?

Auvray commençait à se sentir attendri par
cette jeune femme qui semblait à la fois si
timide, si fragile et pourtant si déterminée à
changer son physique. Elle se pencha pour
prendre son sac.

– Tenez, je vais vous montrer des photos de moi avec mes vrais cheveux, vous allez voir que je ne suis pas très belle.

Elle se hissa sur la table d'auscultation et commença à fouiller dans son sac, mais ne parut pas trouver ce qu'elle cherchait. Elle approcha alors la main de sa jupe comme pour la relever.

– Je peux vous montrer ma cicatrice ? Je ne sais pas où sont les photos, il y a tellement de choses là-dedans…

– Bien sûr.

Elle releva sa jupe presque en haut de ses cuisses, puis s'interrompit.

– Ça me gêne un peu.

– Allons, je suis médecin, j'ai l'habitude.

– C'est un peu plus haut, regardez vous-même. Je vais voir si je trouve ces photos.

– Allons, ne soyez pas pudique comme ça. Elle est où, cette cicatrice ?

– Un peu plus haut…

– Je ne vois rien.

– C'est peut-être parce que je suis mal assise ; vous voulez que je m'allonge, plutôt ?

Auvray se pencha encore, mais il ne vit rien. Ou plutôt si. Il vit comme une gerbe de lumière tandis qu'il s'écroulait, foudroyé par un coup de matraque sur la nuque.

Lorsqu'il émergea sous l'effet d'un verre d'eau froide qu'on lui versait sur le visage, il ne fut pas long à comprendre. La sensation de chaleur et d'engourdissement sur ses avant-bras, le sparadrap sur la bouche, les cordelettes qui lui maintenaient fermement les mains aux chevilles derrière le dos et cette autre, serrée autour de son cou, qui l'étranglait et lui tenait la tête en arrière, tout cela n'avait pas besoin d'explication.

Mais il ne faut pas croire que ça meurt comme ça, un homme. Ça lutte de toutes ses forces – et Dieu sait si ça en a dans un tel instant –, ça tente de gesticuler, ça essaye de crier. Mais ça ne peut rien contre une cordelette de nylon capable de supporter plusieurs centaines de kilos, contre des nœuds marins qu'aucun vent ne parviendrait à défaire et contre un sparadrap chirurgical de dix centimètres de large en travers du visage. Et puis, au fur et à mesure que ça perd son sang, ça perd ses forces, ça se fatigue. Alors ça se désespère, ça comprend trop que la fin est là, ça pleure, ça s'étouffe. Ça n'entend même plus cette voix calme qui évoque de l'histoire ancienne, des noms comme celui de Guillaume Halleur ou encore une certaine Dame blanche sortant parfois des eaux froides d'un lac pour rendre justice. Ça n'entend plus rien, ça voit trouble, ça dodeline de la tête, ça soubresaute une dernière fois et ça meurt.

VI

Samedi 26 octobre

Bidart était avec Marianne au rayon jardinerie de Catena lorsque son portable entonna quelque chose censé rappeler la *Lettre à Élise*.

– Oui?

– Martine Lorbach, je ne vous dérange pas, commandant?

– J'étais en pleine hésitation entre des rosiers Gloria Pink Heart et Princesse Alexandra, mais cela peut attendre. Que puis-je pour vous?

– On vient d'avoir un appel du SIR de Cergy-Pontoise. Le docteur Auvray a été victime d'un homicide hier soir à son cabinet. L'assassin a laissé les mêmes indices que les autres fois. Du coup, l'officier de police judiciaire qui avait lu votre diffusion a tout de suite fait le rapprochement avec notre affaire et nous a appelés.

– Ah…

– Le patron est là aujourd'hui et il voudrait que vous passiez en début d'après-midi. Qu'est-ce que je lui dis ?

– Demandez-lui si quinze heures lui convient.

Elle posa le téléphone un instant. Bidart entendait quelqu'un vociférer dans le couloir, mais sans reconnaître la voix.

– C'est bon, mais il demande que vous soyez là à l'heure, car il attend un appel de Cergy à quinze heures trente pour nous donner plus de détails, et il souhaite que soyez là.

– C'est bon.

– Ah, commandant…

– Qu'est-ce qu'il y a encore ?

– Ne prenez pas des Gloria Pink Heart. Ma mère en avait mis dans le jardin ; ils sont toujours malades.

– J'en prends acte. Merci du conseil.

Marianne n'avait pas besoin qu'on lui fasse un dessin.

– Si j'ai bien compris, on se dépêche de choisir les fleurs, tu me ramènes à la maison et le déjeuner au restaurant chinois, ce sera pour une autre fois.

Bidart, un peu penaud, hocha la tête.

– Ça te dirait, à la place, d'aller déjeuner à la campagne demain ?

– On verra le temps. Rien de trop grave, au moins ?

– Un troisième macchabée sur les bras, et apparemment toujours le même scénario. Mais j'ai l'impression que cette fois-ci je tiens une piste. Je te retrouve à la caisse ; il faut que je passe un coup de fil.

Tandis que Marianne s'éloignait avec son Caddy, Bidart rechercha dans son porte-feuille la carte de Filigrane.

– Mademoiselle Pouffard ?

– Oui, c'est moi.

– Commandant Bidart, du Service d'investigation et de recherche de Rouen. Je suis passé vous voir hier, mais vous étiez en déplacement.

– Oui, ma collègue m'a prévenue. Elle m'a dit que vous viendriez peut-être aujourd'hui au magasin.

– Si cela est possible.

– Aucun problème, commandant, simplement si vous pouviez être là vers l'heure du déjeuner ou en tout début d'après-midi, parce que, après, le samedi, on a toujours beaucoup de clients.

Bidart regarda sa montre.

– Treize heures trente, ça vous va ?

– C'est parfait.

La voix de Caroline était détendue, avenante. Pas une seule seconde elle ne semblait troublée par cet appel.

Alors qu'il se dirigeait vers les caisses, Bidart eut soudain le regard attiré par un rack sur lequel étaient fixées des bobines de cordes et des cordelettes de nylon. L'une d'entre elles était bicolore, exactement comme celle qui avait servi à ligoter les victimes. Il fit signe à Marianne qu'il arrivait et partit à la rencontre d'un vendeur à qui il demanda un échantillon de cinquante centimètres.

– Vous pourriez me dire qui fabrique cette corde ?

Le vendeur regarda la bobine sur laquelle ne figurait qu'un simple code.

– C'est de l'importation sans marque ; ça doit être fabriqué pour nous en Extrême-Orient. Je ne peux rien vous dire de plus. Mais vous n'avez pas à vous inquiéter, c'est aussi costaud que du *made in France*, il n'y a pas à tortiller.

– Ça peut donc être un modèle exclusif que l'on ne trouve que chez Catena ?

Le vendeur commençait à trouver le client particulièrement exigeant eu égard à la modicité de son achat. « Encore un de ces cinglés qui apprennent par cœur le catalogue de la Camif quand ils sont aux chiottes ! » pensa-t-il. Mais Bidart interrompit ce débordement d'imagination en lui montrant discrètement sa carte tricolore.

Se sentant spontanément investi d'une mission, le vendeur composa un numéro sur son sans-fil pour appeler le patron du magasin. Quelques minutes plus tard, tandis que Marianne commençait à trouver le temps long, Bidart notait sur son calepin les références exactes de l'article et le numéro de téléphone du chef de produit à la centrale d'achat.

Caroline Pouffard était assez conforme aux photos que Bidart avait vues d'elle. Blonde, les yeux d'un bleu très clair, le petit diamant dans la narine, elle avait aussi cette distinction qu'il lui avait trouvée sur le portrait qu'avait dissimulé Bonneval lorsqu'il était arrivé dans son bureau de la Sogestrim.

Dès que Bidart fut entré, elle tourna le loquet de la porte.

– Comme ça, dit-elle, nous ne serons pas dérangés. Je vous propose que nous nous installions à l'atelier ; on sera encore plus tranquilles si jamais quelqu'un vient frapper à la porte. Vous désirez un petit café, commandant ?

– Volontiers.

– Montez vous installer, je vous rejoins.

La pièce était basse de plafond et sentait la fumée. Un cendrier débordait de mégots sur le coin de la table. Bidart en ramassa deux et les mit dans une enveloppe qu'il glissa dans sa poche.

– Alors, dit-elle en arrivant avec deux tasses sur un plateau, que puis-je pour vous ?

– Me dire un peu ce que vous pensez de tous ces meurtres autour de vous.

– Moi ? Mais pourquoi moi ?

– Parce que vous vous trouvez, si je puis dire, aux premières loges. Guillaume Halleur semble être au cœur de cette affaire, or vous êtes, si j'ai bien compris, la plus proche amie de sa fille, et votre père, quant à lui, connaissait monsieur Halleur, ainsi peut-être que les victimes.

– Mais alors, c'est à mon père qu'il faut vous adresser.

Bidart but lentement son café, laissant s'installer un silence avant de reprendre :

– Mademoiselle Pouffard, nous n'allons pas jouer au chat et à la souris et je vais être plus direct. Connaissiez-vous les victimes ?

– Non. J'ai parfois entendu mon père en parler, mais je ne les ai jamais rencontrées.

– Et que savez-vous du docteur Marc Auvray ?

– Qu'il fait partie de la même bande, si l'on peut appeler cela ainsi, qu'il gagne beaucoup d'argent avec sa chirurgie esthétique et qu'il se prend un peu pour le seigneur de son village du côté de Forges. Mais lui non plus je ne l'ai jamais rencontré…

– … Qu'il se « prenait », mademoiselle. Il a été assassiné hier soir.

– Mon Dieu !

Bidart observait chacun de ses gestes, la moindre expression. Comment pouvait-elle l'ignorer ? À supposer qu'elle ne fût pas elle-même l'auteur de ce crime, son père, probablement informé dans la nuit même par l'entourage d'Auvray, n'avait aucune raison de ne pas lui en avoir parlé.

– C'est affreux, reprit-elle ; vous n'avez aucune idée de la raison de tous ces meurtres ? Qui sera le suivant ?

– Nous avançons dans un épais brouillard, mademoiselle, et cela me conduit à aborder un aspect de notre entretien assez délicat.

Caroline se redressa sur sa chaise et alluma une cigarette, une Camel Extra Light.

– Je vous écoute.

– Compte tenu de la situation et de la renommée de votre père, j'ai pensé que nous pourrions envisager ce premier entretien dans un cadre un peu informel comme nous le faisons en ce moment. Mais il n'en demeure pas moins que je suis un policier procédant à des investigations et contraint de faire son métier.

Caroline le regarda dans le fond des yeux avec un air sévère.

– Vous l'avez dit vous-même il y a un instant, commandant, nous n'allons pas jouer au chat et à la souris. Alors si vous avez des questions à poser, posez-les sans détour. Ce sera mieux pour vous comme pour moi.

– Que faisiez-vous hier à Paris ?

– Je ne m'attendais quand même pas à ça ! Soit. J'étais chez des fournisseurs pour acheter du papier, du carton, de la colle et toutes sortes d'accessoires pour monter des lampes. Ce sont les paquets que vous voyez par terre dans le coin. J'ai les factures, si ça vous intéresse.

– À quelle heure êtes-vous rentrée à Rouen ?

– Assez tard. Plutôt que de risquer de perdre du temps dans les embouteillages, surtout un vendredi soir, je suis allée au cinéma. Ensuite, je me suis acheté un sandwich chez un Turc. J'ai dû quitter Paris vers dix heures du soir et j'étais chez moi à minuit.

– Vous n'avez donc vu aucun ou aucune amie pendant la soirée ?

– Exact. Et ce que je lis à l'instant dans vos yeux signifie que j'ai très bien pu aller assassiner le docteur Auvray. Encore faudrait-il que je sache où cela s'est passé !

De la sévérité, le regard de Caroline passait au mépris.

– Croyez bien, mademoiselle, que je regrette autant que vous ce genre d'entretien.

– Continuez, je vous en prie, j'ouvre la boutique dans vingt minutes.

Bidart pensait au fond de lui : « Sauf si je te passe les bracelets et que je t'embarque, ma petite. » Mais il se souvint des mots du procureur chez les Delrieu.

– Puisque nous en sommes aux emplois du temps, pourriez-vous me dire où vous vous trouviez en fin de soirée le mardi 15 octobre et dans l'après-midi du lundi 21 ?

– Laissez-moi consulter mon carnet, dit-elle en sortant de son sac un élégant petit agenda en box cognac. Mardi 15 octobre, je ne suis pas sortie de chez moi. Je crois me rappeler que j'avais un début de migraine. J'ai dû passer la soirée au lit à regarder la télévision. Quant au lundi 21, je n'ai rien marqué sur mon carnet. Attendez ! Le 20, j'étais allée à Paris voir des amis... Si, ça me revient, le 21, le magasin était donc fermé. J'ai téléphoné à mes parents à l'heure du déjeuner pour aller les voir à Saint-Pierre. Mon père avait une réunion au conseil général et ma mère m'a dit qu'elle allait rendre visite à une amie qui s'était cassé une jambe et qui habitait du côté du Touquet. Du coup, comme j'avais envie de campagne, je suis allé me promener toute seule en forêt, puis...

– Quelle forêt ?

– La forêt d'Eawy, bien sûr.

– Et ensuite vous êtes rentrée à Rouen.

– Exact. Et je suis allée dîner au restaurant avec un couple d'amis, les Motet, Gilles et Françoise ; vous voulez leurs coordonnées ?

– Et vous n'avez rencontré personne durant votre balade en forêt ?

– Si, j'ai croisé des bûcherons qui m'ont reconnue et saluée. Malheureusement, à moins de les revoir, et encore, je serais bien incapable de vous donner leur nom. Je reconnais que ce sont des alibis qui ne pèsent certainement pas lourd à vos yeux, mais que voulez-vous que je vous dise ?

– Je ne vous révélerai rien en vous disant que dans cette affaire le meurtrier pourrait à nos yeux être une femme...

– Je l'ignorais.

– ...Une femme qui considère que Guillaume Halleur a été poussé au suicide et qui voudrait le venger.

– Comment parvenez-vous à cette perti-
nente déduction ?

– Le morceau de tulle systématiquement
laissé sur le lieu du crime est une signature
qui évoque une mariée, n'est-ce pas ?

– Certes.

– Or ce n'est pas à vous que j'apprendrai
la légende de la Dame blanche. De plus, certains indices nous laissent penser que seule
une femme usant de ses charmes pouvait
approcher de la sorte ses victimes. Voilà
pourquoi nous nous intéressons aux dames
qui gravitaient autour de monsieur Halleur.

– Tout ça se tient, effectivement. Mais
puis-je vous demander, si cela n'est pas
indiscret, pourquoi je serais, moi, allée
venger ce pauvre Guillaume Halleur ?

Bidart recula sa chaise et regarda Caroline droit dans les yeux.

– Parce que vous avez été sa maîtresse.

– Moi ?

– Oui, vous ! Et nous en avons des preuves
que vous auriez du mal à réfuter.

Caroline se leva, alluma une autre cigarette et se dirigea vers la fenêtre. Elle
regarda un instant la rue, puis se retourna,
tirant profondément sur sa Camel.

– Oui, c'est vrai. Mais je n'ai pas été sa maîtresse au sens où on l'entend vulgairement, je l'ai aimé. Et j'imagine que je dois vous en dire un peu plus...

Bidart hocha la tête.

– J'avais à peine douze ans quand j'ai connu Guillaume. J'étais devenue la meilleure amie de Mathilde. Je suis tombée amoureuse de lui quand j'en avais quatorze ou quinze. Bien sûr, il ne l'a pas su et j'ai porté en moi cet amour secret pendant plus de dix ans. C'était aussi une manière, à ma façon, de me sentir plus proche de Mathilde. J'étais tout le temps fourrée au moulin. Et puis, un soir, quand j'avais vingt-cinq ans, je me suis retrouvée seule avec lui au moulin ; je lui ai demandé si je pouvais rester dormir dans la chambre de Mathilde, qui était partie pour quelques jours en Bretagne. Au milieu de la nuit, je suis venue le rejoindre dans son lit. Voilà, vous voyez, c'est une histoire toute simple. Notre aventure est restée des plus discrètes et nos étreintes assez rares. Mais c'était quelque chose d'important au fond de moi.

– Et qu'en a dit Mathilde ?

– Elle ne l'a jamais su, évidemment, et j'espère que vous aurez la délicatesse de garder pour vous ce que je viens de vous confier.

– Vous avez ma parole.

– Si je comprends bien, commandant, vous avez toutes les raisons de me soupçonner.

– Pas forcément. Mais j'ai encore une question à vous poser.

– Laquelle ?

– Pourquoi François Bonneval possède-t-il une photo de vous dans son bureau ?

Si Bidart pouvait douter de l'absolue véracité des propos que Caroline lui avait tenus jusqu'alors, il ne faisait en revanche nul doute que la réaction qu'elle eut en entendant cette question était aussi spontanée que sincère.

– C'est pas vrai ! Le salaud, l'ordure !

– C'est pourtant agréable d'avoir sa photo chez quelqu'un.

– Ne plaisantez pas, ce type est la pire pourriture de la terre !

– Rien que ça…

– J'ignorais qu'il avait une photo de moi. Mais si ce que vous me dites est vrai, je peux vous en fournir l'explication.

– Je vous écoute.

– Il y a un an, lorsque Bonneval s'est jeté comme un rapace sur ce moulin qu'il voulait acheter, il a tout essayé. Il a tenté d'embobiner mon père, ce qui, je l'avoue, ne doit pas être très difficile ; il a essayé de soudoyer ce pauvre Michel en lui faisant miroiter Dieu sait quelle hypothétique fonction dans l'affaire qu'il voulait créer. Et je n'ai moi-même pas échappé à ses tentatives de séduction. J'ai eu droit à quelques cadeaux, quelques promesses, si je plaidais sa cause auprès des Halleur, dont il savait que j'étais proche. Et puis ce gros porc est même allé jusqu'à penser qu'en faisant de moi sa maîtresse ce serait encore plus commode. Manque de chance pour lui, il frappait à la mauvaise porte et je l'ai remis à sa place lorsqu'il m'a fait des avances. Ça ne l'a pas dégonflé pour autant et je savais qu'il laissait planer une ambiguïté sur les relations qu'il avait avec moi, histoire de m'écarter du clan Halleur. Mais de là à avoir ma photo dans son bureau… quelle pourriture !

– Si ça peut vous rassurer, sachez qu'il s'est empressé de la cacher à mon arrivée.

– Oui, mais ça veut dire que d'autres l'ont vue. Vraiment, quelle ordure ! J'espère qu'il sera le prochain sur la liste.

Bidart faillit répondre : « Ça ne tient peut-être qu'à vous, mademoiselle. Qui sait ? » Mais il préféra rester muet.

Deux heures venaient de sonner à la cathédrale, puis à Saint-Maclou. Des clients attendaient en bas dans la rue.

Bidart se leva et se dirigea vers l'escalier.

– Il ne me reste qu'à vous remercier pour cet excellent café et pour la façon dont vous m'avez aidé dans cette enquête.

Caroline ne répondit rien. Elle éclaira le magasin avec des spots et descendit à son tour.

Le commandant André Duchemin dirigeait la brigade criminelle, et, à cet égard, dépendait directement du commissaire principal Jean-Philippe Talmont, chef du Service d'investigation et de recherches de Rouen.

En temps ordinaire, il régnait à la Crim une atmosphère de camaraderie. Personne n'avait la grosse tête, ni besoin d'affirmer sa place dans la hiérarchie, et le travail se faisait en équipe. Mais avec ce troisième meurtre en moins de deux semaines on n'était plus en temps ordinaire. Certes, l'affaire avançait, nulle autorité supérieure – et pas davantage le procureur Edmond Chantrin ou le juge Bianchini – n'était en droit de formuler le moindre reproche aux différents fonctionnaires de police qui faisaient de leur mieux, mais la tension montait. Il était certain que la presse nationale allait s'emparer de l'affaire ; que la brigade criminelle de Rouen allait se retrouver sous les feux de l'actualité. De là à ce que quelque journaliste imbécile évoque l'incompétence ou la lenteur de l'enquête, il n'y avait pas loin.

Le commissaire divisionnaire fonctionnel Jacques-Émile Fabre, directeur départemental de la sécurité publique, en avait incidemment touché deux mots à Talmont, qui avait à son tour demandé à Duchemin pourquoi l'affaire n'avançait pas plus vite, pourquoi aucun suspect n'avait encore été mis en examen, et, du coup, Duchemin se tournait vers Bidart pour lui poser les mêmes questions. Un simple frisson du grand patron se répercutait maintenant sur toute la pyramide !

Aussi, lorsqu'il arriva dans la salle de réunion du sixième étage, le ton n'était pas aux traditionnelles plaisanteries et anecdotes qui précédaient habituellement l'entrée dans le vif du sujet.

Outre Talmont et Duchemin, les lieutenants Canu et Delavène avaient été conviés à la réunion.

Bidart résuma la situation avec la plus grande concision possible.

– Nous sommes, dit-il, en présence de trois homicides perpétrés selon toute vraisemblance par le même individu. Les victimes sont chronologiquement Louis Levasseur, architecte, domicilié à Bois-Guillaume ; Michel Vincenot, avocat spécialisé en droit des affaires, domicilié et exerçant son activité professionnelle à Rouen ; enfin, Marc Auvray, chirurgien spécialisé en chirurgie esthétique, domicilié et exerçant son activité à Pontoise et possédant une résidence secondaire à côté de Forges-les-Eaux dans la Seine-Maritime. Nos investigations nous ont conduits à ce jour sur deux pistes. La première relève d'une affaire de mœurs. Nous

avons en effet trouvé au domicile de Vincenot des photos de ce qu'il est convenu d'appeler des « partouzes » sur lesquelles on reconnaît également Levasseur, Philippe Duparc,
notaire à Bonsecours, ainsi que mademoiselle Nadia Delpire, qui était la compagne de
Vincenot, et une jeune femme du nom de
Marie-France Langlade qui se fait appeler
Marushka. Un autre homme et une autre
femme présents à ces soirées n'ont pu être
identifiés. Nous pensons que l'auteur de ces
clichés est un certain Pierre-Ange Lucchini,
connu de nos services, déjà condamné dans
le cadre d'affaires de proxénétisme et de vols
de voitures et qui a fait deux ans de tôle à
Toulouse. Marie-France Langlade était sous
sa protection et ce serait par elle qu'il se serait
introduit chez Vincenot. Il se pourrait qu'il
ait tenté de faire chanter ces messieurs et
que, n'ayant pas obtenu ce qu'il voulait, il soit
devenu un peu violent.

— Et j'imagine, interrompit Talmont, que
lui et sa Marushka sont introuvables.

— Affirmatif. Nous avons diffusé une note
sur le fichier des personnes recherchées,
mais qui n'a rien donné à ce jour. Voilà pour
la première piste. La seconde piste est à la

fois beaucoup plus trouble et pourtant beaucoup plus plausible.

Bidart reprit point par point l'affaire du moulin, le rôle des différents protagonistes, la présence du député-maire Pouffard, les soupçons qui pesaient sur sa fille, les relations de Michel Halleur avec le tenancier de bar homo, l'existence du demi-frère et de sa compagne Anaïs, enfin, l'allusion à la légende de la Dame blanche, qui, avec ce troisième meurtre, ne faisait plus aucun doute.

– Vos conclusions au jour d'aujourd'hui ? demanda le commissaire Talmont.

– Comme je vous l'ai dit, je crois bien davantage à cette seconde piste. Il est évident que Caroline Pouffard est à mes yeux pour l'instant le suspect numéro un, mais il serait risqué d'agir sans preuve.

– C'est évident !

– Nous en saurons peut-être bientôt un peu plus. Je sors de chez elle et j'ai ramassé deux mégots de cigarettes qu'elle venait de fumer. Je vais les envoyer dès lundi au laboratoire de Nantes pour une analyse comparative d'ADN avec une cigarette ramassée par les gendarmes de Bacqueville-en-Caux

lors du premier meurtre. J'ai aussi pris différents papiers pour ses empreintes. On
verra. Malheureusement tout ça prendra du
temps, trop de temps...

– Messieurs, reprit Talmont, vous avez la
parole.

Le lieutenant Canu se leva.

– Le commandant Bidart nous a parlé de
la fille de Guillaume Halleur. Peut-il nous
en dire un peu plus ?

– Je n'ai pas encore eu la possibilité de la
rencontrer, ni même de la joindre, son portable étant toujours débranché. Elle ne
vient plus dans la région depuis la mort de
son père et semble être très souvent en
déplacement. On peut très bien imaginer
qu'elle soit habitée par un désir de vengeance. J'en saurai en principe bien plus
lundi. Elle est domiciliée à Bougival, dans
les Yvelines, et son frère m'a assuré qu'elle
serait chez elle après-demain.

– Reste encore, reprit Canu, le demi-frère
et sa copine... Comment s'appelle-t-elle,
déjà ?

– Anaïs. Ils vivent dans un mobile home
dans la région d'Étretat. L'antenne du SRPJ
du Havre peut s'en occuper si nécessaire.

Mais pour eux je ne suis pas inquiet, ils ont l'habitude de se déplacer pour vendre des babioles sur les foires et les marchés ; on les retrouvera très vite.

– Tout ça, conclut Duchemin, n'est effectivement pas simple, et faire une descente chez la fille du député – à l'encontre de laquelle il n'y a que de minces soupçons – n'est pas forcément ce que nous pourrions faire de plus habile.

À quinze heures trente pile, le téléphone sonna. C'était le capitaine Langeais, qui suivait l'affaire à Cergy-Pontoise. Talmont mit l'amplificateur pour que chacun puisse entendre.

– En ce qui concerne l'identité de la victime, dit-il, il s'agit bien du docteur Marc Auvray, quarante-sept ans, domicilié à Pontoise, 31, rue du Château. Selon le légiste, le décès remonte aux environs de dix-neuf heures. La mort a été provoquée par deux profondes entailles au niveau des veines des poignets. L'arme est très vraisemblablement un cutter. La victime a été précédemment assommée d'un coup de matraque sur la nuque, puis ligotée au moyen d'une cordelette de nylon torsadée de deux couleurs, blanc et rouge. Le meurtrier lui a collé un large bandeau de sparadrap chirurgical sur la bouche pour l'empêcher de crier et d'appeler du secours. L'Identité judiciaire a procédé à des relevés d'empreintes, mais elles sont nombreuses et variées, donc difficilement exploitables a priori. En termes d'indices, on note trois choses : le recours à un nœud très particulier au niveau des cordelettes. Le fait que la victime avait dans la poche de poitrine extérieure de son veston un morceau de tulle blanc, dimension quarante centimètres au carré, plié comme une pochette. Enfin, par terre à côté de la victime, la photocopie d'un article de presse régionale concernant le décès d'un certain Guillaume Halleur survenu dans la nuit du 31 juillet au 1er août dernier au Moulin de la Dame blanche ; la mort étant semble-t-il due à un suicide par noyade, selon le journaliste qui a écrit l'article. Voilà, c'est tout ce que nous avons pour l'instant. L'autopsie et l'enquête de voisinage nous permettront peut-être d'en savoir un peu plus en début de semaine. Le parquet a été prévenu et le substitut du procureur s'est rendu sur place cette nuit même.

Bidart fit signe à Talmont qu'il voulait parler à Langeais.

– Capitaine, je vous passe l'officier qui a suivi l'affaire chez nous jusqu'à présent.

Bidart encaissa le « jusqu'à présent ».

– Commandant Bidart à l'appareil, bonjour, capitaine. Oui, je voulais vous dire ceci. Je compte me rendre à Bougival lundi dans le cadre de l'enquête. Je pensais que j'aurais pu faire un saut à Pontoise en milieu d'après-midi pour vous rencontrer.

– Pas de problème, je serai là à partir de quatorze heures. Vous avez l'adresse ? 4, rue de la Croix-des-Maheux à Cergy, derrière le centre commercial des Trois Fontaines.

– Très bien, à lundi capitaine.

– Bien, dit Talmont en raccrochant le combiné. Messieurs, je vous remercie, vous pouvez disposer. Bidart, vous avez une seconde ?

Duchemin sortit le dernier et referma la porte derrière lui en jetant un regard oblique à Bidart.

Talmont se leva et se dirigea vers une carte de France qu'il fit mine de regarder.

– Bidart, je vais vous parler franchement. Ça fait plus de quinze ans que nous travaillons ensemble et je n'ai pu que me féliciter de votre efficacité et de votre sens du devoir. Mais sur ce coup-là, je vous avoue que pour la première fois je ne vous sens pas. Est-ce que par hasard il y aurait quelque chose ?

– Je ne vous suis pas très bien, commissaire.

– Eh bien, disons par exemple que vous pourriez, pour des raisons X ou Y qui vous seraient personnelles, ne pas vous sentir impliqué dans cette affaire autant que vous l'avez été dans d'autres.

Bidart se leva à son tour et se dirigea vers l'une des fenêtres.

– Qu'insinuez-vous, commissaire ? Je vous en prie, soyez direct. Vous savez très bien que vous pouvez tout me dire et que c'est mille fois mieux ainsi.

– Eh bien… n'auriez-vous pas, par exemple – je dis bien par exemple – des liens personnels avec certaines personnes mêlées de près ou de loin à cette affaire ?

– Désolé, je comprends de moins en moins de quoi vous parlez !

– Alors je vais être plus précis. J'ai reçu hier un appel un peu embarrassé du bâtonnier Isambart, qui, dans une conversation pour le moins désordonnée, car il ne souhaitait pas – semble-t-il – aborder le sujet de front, en est venu à me parler de ce dossier qui nous occupe et a évoqué le fait que vous auriez peut-être, selon une lointaine rumeur, cédé aux charmes d'une dame concernée par cette affaire de mœurs. Vous ne voyez pas de quoi il s'agit ?

Bidart sentait monter en lui une rage sourde ; il eut l'impression qu'il claquait des dents.

– Comment peut-on tomber dans un panneau aussi grossier ?

– ... C'est un peu ce que je m'apprêtais à vous demander.

Bidart fit deux pas en arrière.

– Regardez-moi, Talmont ! Est-ce que j'ai une tête à faire ce genre de conneries ? Vous voulez que je vous dise ?

– Ce serait peut-être mieux.

– C'est cette salope de Nadia Delpire qui est derrière ce stupide ragot ! Dire que je l'avais trouvée plutôt intelligente. J'aurais mieux fait de l'envoyer au trou. Je suis persuadé que c'est elle qui a donné les clés de l'appartement de Vincenot à la copine du petit maquereau. J'ai été sympa et voilà le résultat.

Bidart se tourna vers la fenêtre, d'où l'on apercevait les toits de Rouen, et pointa un doigt menaçant :

– Tu me le paieras, racaille !

– Et puis, ajouta Talmont…

– Et puis quoi, encore ?

– Le fait que l'affaire soit entre nos mains commence apparemment à sérieusement chatouiller nos camarades du SRPJ.

– Mais il nous font chier, ceux-là ! Ce n'est pas nous qui l'avons demandé, ce dossier à la con ! Si on nous l'a refilé, c'est bien parce qu'à la PJ ils sont débordés et même pas capables de traiter leurs propres affaires !

– Je sais, Bidart, mais vous savez comment c'est.

– Je sais surtout que tout ça commence à me les gonfler !

En retournant à son bureau, il aperçut Duchemin qui parlait avec le lieutenant Canu.

– Bon week-end quand même…

– C'est ça, oui, bon week-end quand même !

Il entra dans le bureau où travaillaient habituellement Jean Morel et Martine Lorbach :

– Il n'est pas là, ce connard ?

Martine baissa la tête pour éviter de croiser le regard mauvais de Bidart.

– C'est samedi, il est en congé, commandant.

– Oui, évidemment, excusez-moi, je retire ce que j'ai dit. Mais comme vous pouvez le voir, je suis passablement énervé.

Il sortit une petite enveloppe froissée de sa poche et la ferma d'un morceau de Scotch.

– Mettez-moi ça dans un sachet et envoyez-le lundi matin à Nantes en urgence pour qu'ils comparent avec la Peter Stuyvesant ramassée à Bacqueville. J'espère que c'est encore exploitable ! Ah oui, autre chose, ajouta-t-il en sortant de son autre poche le morceau de cordelette et une carte de visite sur laquelle plusieurs noms avaient été notés à la main. Lundi je serai absent une bonne partie de la journée. Vous ou Morel appellerez dès que possible ce type chez Catena pour savoir si cette cordelette dont je vous ai noté les références est un produit exclusif fabriqué pour eux ou si on le trouve aussi dans d'autres magasins. Vous appellerez aussi ce monsieur machin au service informatique pour savoir s'ils sont capables de nous retrouver sur leur fichier les noms de Caroline Pouffard,

Mathilde Halleur, Anaïs Caillebotte, Marie-France Langlade, Pierre-Ange Lucchini et, pendant qu'on y est, Nadia Delpire, André Marchand et François Bonneval. Et si oui, s'il y a un croisement possible avec les références des articles achetés. Bon, allez, je retourne à mon paisible week-end. Au fait, merci du conseil pour les rosiers.

Avant de rentrer chez lui, il alla faire quelques pas vers la foire Saint-Romain qui battait son plein en ce bel après-midi de week-end. Il éprouvait le besoin de se plonger dans la foule, de regarder des gens, d'entendre la musique et le tintamarre des attractions, de sentir l'odeur des croustillons et de la barbe à papa.

Revenant vers sa voiture, il composa à tout hasard sur son portable le numéro de Mathilde Halleur. Pour la première fois il ne tomba pas sur une messagerie.

– Mademoiselle Halleur ?

– Oui…

– Commandant Bidart, du SIR de Rouen. Votre frère m'a dit que vous seriez à Bougival lundi. Il faudrait que je puisse vous rencontrer assez rapidement. Puis-je passer vous voir en fin de matinée ?

– Mais, c'est que… je comptais m'absenter. Je devais faire un voyage. C'est vraiment important ?

Bidart sentit poindre un nouvel agacement.

– C'est très important, mademoiselle. À telle enseigne que si vous n'acceptez pas de me recevoir lundi matin, je me verrais contraint de vous convoquer à l'hôtel de police de Rouen dans les locaux de la brigade criminelle.

– En ce cas, je vais m'arranger pour être là. Michel vous a donné mon adresse ?

– 16, rue François-Debergue, c'est bien cela ?

– Oui, le premier immeuble en entrant dans la résidence. Troisième étage. Si la porte d'entrée est fermée, le code est 66A31. À quelle heure comptez-vous arriver ?

– Disons à partir de onze heures. Soyez aimable d'être là. Je viens exprès de Rouen pour vous.

– Je serai là.

**
*

Jean Morel avait passé l'après-midi rue Courteline à Colombes auprès de sa mère. À six heures, il avait pris le train pour la gare Saint-Lazare, et, de là, le métro jusqu'à la station Mabillon. Il avait fait composer par un fleuriste un bouquet prétendument romantique dans lequel étaient soigneusement mêlées des fleurs sans prétention déclinant des harmonies d'ocre et de jaune avec quelques taches de rose pastel. Puis, d'un pas rapide, il avait remonté la rue de Tournon jusqu'au numéro 23, où se trouvait le studio d'Alice. Il appuya sur l'interphone, mais personne ne répondit. Il pensa qu'elle était peut-être dans son bain et attendit deux ou trois minutes avant de sonner de nouveau. Mais il n'eut pas davantage de réponse. Il tenta alors de l'appeler avec son portable. « Bonjour, vous êtes bien chez Alice Scheffer, mais je suis absente pour l'instant. Merci de laisser un message… bip, bip. »

– C'est Jean, je suis en bas dans la rue avec de la salade. Je pensais que tu étais là…

– Wouaff! Wouaff!

Jean se retourna. Alice était là avec un panier de victuailles.

– Il faut faire attention à Paris : il y a de gros chiens dressés pour manger les petits flics de province !

Ils ne défirent que tard dans la nuit les paquets qu'avait rapportés Alice. Ils avaient pour l'heure d'autre envies que celle de dîner.

VII

Un léger brouillard d'automne voilait le soleil du petit matin, mais lorsque Alice et Jean se levèrent il n'en restait nulle trace. Ils allèrent marcher dans les jardins du Luxembourg, qui, pour l'heure, n'étaient parcourus que par des trotteurs, joggeurs et autres sportifs. Çà et là quelques intellos tombés de leur lit parcouraient la presse pour intellos du week-end. Les pigeons attendaient vieilles dames et enfants.

Alice et Jean avançaient silencieusement, goûtant ce premier matin, leurs pas dans les feuilles mortes, ces riens qui n'appellent aucun mot.

Dix heures venaient de sonner au carillon du Sénat.

– Tu connais le marché aux puces? demanda Alice.

– J'y suis allé il y a des années et des
années… On y va?

Ils descendirent le boulevard Saint-Michel
et prirent le métro. À Saint-Ouen, la foule était
dense et animée. Ils s'enfoncèrent dans les
allées du marché Biron, puis de Serpette.

– Tiens, dit Jean, ça me fait penser qu'on a
un client par ici.

– Un client?

– Oui, je veux dire qu'on est sur une affaire:
un antiquaire de la rue Damiette, à Rouen. Il
est en cheville avec un type qui a un stand
dans ce marché. Martine suit le dossier, tu
sais, la petite nouvelle…

– C'est pas un peu léger de mettre une jeune
sur un coup comme ça?

– Elle n'est pas vraiment seule. Ton cher
beau-père suit ça par-derrière.

– Dis-moi, il est comment dans le boulot,
Pierre? Au fond, je ne sais pas grand-chose de
lui à part ce qu'il nous raconte à la maison.

– Tu veux que je te dise?

– Sinon je ne te poserais pas la question!

– Eh bien je trouve que c'est un mec assez
formidable. D'abord, c'est un vieux routier
du business; il sait tout, il connaît toutes les
ficelles et on apprend beaucoup en travaillant avec lui. Et puis il a une autre qua-

lité : il est réglo. Il a une espèce de sens du devoir, de l'honneur, de la parole donnée. Des qualités qui semblent assez rares aujourd'hui. En fait, c'est un peu un homme d'une autre époque.

– C'est drôle, la vie. Pour moi, il est le mari de ma mère. Un bon gros type qui va au boulot et rien de plus… Et il en est où, dans son affaire de meurtres. Ça a l'air de le travailler.

– Tu as vraiment envie que je te parle de boulot ?

– Je t'ai bien emmené voir des livres anciens et tenu tout un discours sur les Elzévir et sur l'histoire des enluminures…

Jean lui raconta alors l'affaire, la piste de Marushka, celle de Halleur, les soupçons qui pesaient sur la fille du député. Mais Alice semblait n'écouter que d'une oreille distraite, plus intéressée par l'idée de dénicher une édition rare dans des amoncellements de vieux bouquins que d'apprendre qui pouvait être l'assassin rouennais.

– Vous finirez bien par le coincer.

– On les attrape toujours. Surtout que celui-là fait tout ce qu'il faut pour.

– Ah bon ?

– Toujours les mêmes cordes, le même morceau de tulle, la même façon de tuer… Il nous fait un jeu de piste qui nous conduira jusqu'à lui : c'est un malade.

– Il est peut-être malade, mais plus malin que vous !

– Ce n'est pas impossible, mais c'est un malade quand même. Il joue avec le feu. Il finira par se brûler. Et c'est ce qu'il cherche.

Il ne faisait pas beau seulement à Paris ce dimanche, et Marianne, après avoir tiré les rideaux de la chambre, s'était retournée vers Pierre :

– Commandant, je crois que vous avez une mission très importante à remplir aujourd'hui. N'avez-vous pas une affaire qui vous oblige à déjeuner à la campagne ?

– Tu ne crois pas si bien dire, répondit Bidart en s'étirant dans le lit. Je t'emmène déjeuner dans un très joli petit village.

– Où ça ?

– À Saint-Pierre-l'Abbaye, ça te dit ?

– Ah non ! Tu ne vas pas me faire le coup encore une fois ! Aujourd'hui, c'est repos, détente, on s'occupe de sa petite femme et de rien d'autre.

– Je n'ai jamais dit le contraire. Je te proposais Saint-Pierre parce que c'est très joli, c'est tout.

– Alors à une condition : tu laisses ton Smith et tout le reste à la maison, d'accord ?

– Tu as déjà vu un policier avec son pétard dans la poche les jours de repos ?

La prétentieuse carte du premier établissement les ayant fait fuir, Pierre et Marianne jetèrent leur dévolu sur un café-restaurant qui semblait davantage à l'usage des autochtones. La salle du bas et la terrasse étant réservées aux clients du bar, la serveuse les invita à les suivre à l'étage. Renâclant un instant à l'idée de se retrouver à l'écart de l'animation, ils furent cependant d'emblée séduits par le charme de la petite salle. D'autant que, depuis la table qui leur fut proposée, juste à côté de la fenêtre, ils avaient une vue imprenable sur toute la place du village.

Marianne se laissa tenter par un poulet fermier vallée d'Auge, tandis que Bidart, dont le goût pour les plats canailles était sans fin, ne résista pas à une andouillette AAAAA, autrement dit agréée par la très respectable Association des amateurs d'admirables andouillettes artisanales. En bonne épouse, Marianne prit pour la cent unième fois l'air amusée lorsque son mari ne put s'empêcher de commenter son choix en rappelant au patron le célèbre mot du président Édouard Herriot : « La bonne andouillette, c'est comme la bonne politique : ça doit sentir la merde… un peu, mais pas trop ! »

Ce à quoi le patron répondit :

– Eh bien, monsieur, c'est un peu ce que nous avons à Saint-Pierre… Et pour le vin ?

– Un Saint-Amour… n'est-ce pas ce qui convient le mieux à un déjeuner en tête à tête ?

– Je vois que monsieur est aussi cultivé qu'attentionné. Vous avez de la chance, madame !

Avec ses maisons à colombages, ses fenêtres dégueulant des brassées de géraniums, ses lampadaires façon Trois Mousquetaires et ses ruelles pavées, Saint-Pierre cultivait sans pudeur l'art de séduire le touriste.

Bidart, qui s'était laissé aller à finir la bouteille de beaujolais, commençait à s'assoupir dans un rayon de soleil, tandis que Marianne réglait son compte à une tarte Tatin.

C'est alors qu'il aperçut une silhouette qui ne lui était pas étrangère, sortant d'une voiture qui venait de se garer. C'était André Marchand. Il marcha d'un pas rapide vers un homme qui était juste en bas, en train de serrer quelques mains à la terrasse du café, sans doute un notable du coin. Voyant Marchand s'avancer vers lui, l'homme lui adressa un signe de la tête, comme pour lui indiquer une direction ou lui signifier de ne pas s'approcher, et lui tourna immédiatement le dos.

Marchand retourna vers la voiture et se pencha vers un passager que Bidart n'avait pas vu jusqu'alors. Celui-ci sortit à son tour : c'était Michel Halleur. Les deux hommes partirent en direction d'une petite ruelle.

– J'arrive, mon chou, dit Bidart en se levant, deux minutes, pas plus…

– J'étais sûre qu'en venant ici…

Mais Bidart n'entendit pas la fin de la phrase. Ayant descendu quatre à quatre l'escalier étroit du café, il se dirigea vers un angle de la place d'où il pouvait surveiller à la fois l'homme qui s'attardait à échanger quelques propos avec des clients de la terrasse et les deux comparses qui, maintenant, semblaient l'attendre devant la grille d'une maison en retrait.

Tandis que l'homme les rejoignait enfin, Bidart lui emboîta le pas, regardant de-ci de-là, comme un promeneur.

Halleur et Marchand l'avaient reconnu et semblaient hésiter, mais il était trop tard.

– Quelle surprise de vous rencontrer ici tous les deux ! s'exclama Bidart en leur tendant la main.

Le troisième homme, qui était en train de mettre une clé dans la serrure, se retourna.

Bidart lui tendit aussi la main en se présentant simplement par son nom. L'autre afficha un air interrogateur, attendant que les deux autres complètent ces présentations.

– Monsieur est le commandant qui suit cette étrange affaire de meurtres à Rouen. Monsieur Claude Pouffard, notre député et maire.

Pouffard adressa à Marchand un bref regard qui n'échappa pas à Bidart et auquel l'autre sembla vouloir répondre : «Je n'y suis pour rien.»

– Vous avez de la chance de présider aux destinées d'une si jolie commune, monsieur le maire. Ma femme et moi sommes venus ici en promenade dominicale. C'est vraiment un endroit charmant!

– Rude dossier que le vôtre, répondit Pouffard, je serais bien embêté si je devais mener l'enquête à votre place.

– Ne parlons pas de ça, monsieur le maire, je suis ici aujourd'hui simplement pour respirer l'air pur de la campagne, et, à dire vrai, je ne pense même pas à cette affaire.

– Quand même... avec ce troisième meurtre!

– Nous finirons bien par démasquer l'assassin, je n'ai pas d'inquiétude. Mais, pour l'instant, je suis un fonctionnaire qui goûte l'oisiveté d'un jour de repos et je vais aller voir en forêt si je trouve des champignons. Bonne journée, messieurs.

**
*

Bidart ne trouva pas un seul champignon, Alice, pas un seul livre intéressant ; Marianne trouva qu'elle avait trop mangé et Jean qu'il était temps de prendre un train pour Rouen. Le week-end s'achevait.

À peine fut-il installé dans son wagon qu'il chercha son portable pour appeler Alice. Il s'aperçut qu'il était éteint et redouta un instant que sa mère n'ait essayé de le joindre, d'autant qu'à peine allumé l'appareil se mit à vibrer pour le prévenir qu'il avait des messages. C'était Bidart qui l'avait appelé la veille au soir pour lui annoncer le meurtre d'Auvray et le fait qu'il comptait se rendre lundi matin à Bougival.

Jean réalisa que s'il avait eu ce message plus tôt il aurait pu passer encore une nuit rue de Tournon et retrouver Bidart directement à Bougival le lendemain. Mais, après une bouffée de colère, il se rappela que son Manurhin et autres gadgets professionnels étaient restés place du Vieux-Marché et qu'il avait aussi besoin de passer se changer... Ce serait pour une autre fois.

Il appela d'abord Alice, à qui il n'osa pas dire ce qu'il s'était répété vingt fois dans le métro : qu'il se sentait amoureux. Il est vrai

que ce n'était pas le genre de propos faciles
à tenir dans un train avec plein de gens
autour de soi. Et puis, ne fallait-il pas laisser
tout cela décanter? Pour la première fois de
sa vie, il avait ressenti quelque chose de différent, l'impression d'être responsable de
quelqu'un. Des images folles de mariage, de
maisons, d'enfants, lui tournaient dans la
tête. Non, il fallait pour l'instant garder tout
ça au fond de lui, attendre d'être certain.

Le week-end prochain était celui du
1er novembre et il imagina de l'emmener à
Honfleur, destination choisie entre toutes
pour des tourtereaux. Peut-être, là-bas, lui
révélerait-il la profondeur de ses sentiments.
Il avait toute la semaine pour y réfléchir.

Mais les choses ne se révélèrent pas aussi
simples qu'il l'avait pensé.

– Samedi, lui dit Alice, c'est le
2 novembre; c'est la fête des morts, et ce
jour-là j'ai l'habitude d'aller mettre des
fleurs sur la tombe de mon père.

– Ah…

– Tu comprends, tu ne m'en veux pas?

– Bien sûr que non.

– Écoute, je vais réfléchir, je vais voir comment ça peut s'arranger. Exceptionnelle-
ment, je pourrais peut-être y aller la veille.

Bidart, qu'il appela ensuite, somnolait et se montra peu loquace.

– Ça commence à suffire, ces conneries, il serait temps qu'on arrête le carnage. En plus, je vous signale qu'on est dans le collimateur de Talmont – il trouve que tout ça n'avance pas. Et, pour achever le tout, nos amis du SRPJ veulent nous piquer le dossier. Alors, mon petit Jean, cette semaine, pas question de glander… Si on veut se montrer à la hauteur, c'est maintenant ou jamais ! Je vous ai laissé des instructions au bureau. On se voit demain en fin d'après-midi.

Des « scrouich scratch scrouich » mirent un terme à leur conversation, et Jean ne jugea pas utile de rappeler.

VIII

Lundi 28 octobre

À dix heures et demie du matin, il y avait encore beaucoup de monde sur l'autoroute A13 en direction de Paris, et Bidart ne put s'empêcher de plaindre ces hordes de banlieusards qui passent chaque jour des heures dans leur voiture. Il trouvait à cet égard la vie en province infiniment plus agréable et ne serait venu travailler à Paris pour rien au monde.

Il fut d'ailleurs séduit d'emblée par le caractère quelque peu provincial de Bougival, avec ses ruelles bordées d'arbres et ses maisons chic.

La rue François-Debergue ne fut pas difficile à repérer, et il arriva à onze heures très précises devant chez Mathilde Halleur.

Son appartement se trouvait au sein d'une résidence regroupant trois petits immeubles cossus dans un parc boisé.

Mathilde répondit instantanément au premier coup de sonnette de l'interphone et l'attendait sur le palier lorsqu'il sortit de l'ascenseur. Elle était de ces femmes dont le sourire rayonne d'une telle sincérité qu'il vous va droit au cœur. Un soupçon plus enrobée que son amie Caroline, et n'ayant pas non plus son élégance naturelle, elle avait au demeurant un charme auquel peu d'hommes devaient être insensibles.

Elle introduisit Bidart dans le salon dont les baies ouvraient sur les grands arbres de la résidence et l'invita à s'asseoir dans un moelleux fauteuil recouvert d'un patch-work. Le mobilier, plutôt moderne, respirait la qualité ; les murs disparaissaient sous les peintures et les gravures.

Elle remarqua le regard circulaire de son hôte.

– Vous trouvez ça un peu chargé, n'est-ce pas ? Moi aussi, je me dis certains jours que c'est un peu étouffant. Mais, voyez-vous, tous ces tableaux représentent des lieux que j'ai visités. C'est un peu comme si je vivais au milieu d'un album de photos et de souvenirs.

– Mais c'est très joli.

Elle fit un pas en arrière en direction de l'entrée.

– Avant que nous entrions dans le vif du sujet, dites-moi ce qu'il convient de proposer à onze heures du matin à un officier de police qui vient de faire cent kilomètres : un café, un whisky, un kir ?

– Ah, je ne dis pas non à un petit kir.

– Eh bien vous m'en voyez reconnaissante, c'est exactement ce dont j'avais envie, mais que je n'aurais pas osé me servir si vous aviez voulu un café.

Plus ça allait et plus Bidart la trouvait charmante. Elle revint de la cuisine avec une bouteille de bourgogne aligoté, une crème de cassis apparemment artisanale et quelques petits biscuits d'apéritif.

– Vous allez voir comme c'est bon, ce sont des cassis qui viennent de Saint-Pierre. Alors, dit-elle en lui tendant un verre et s'asseyant en face sur le grand canapé, que puis-je pour vous ?

– Vous me voyez un peu embarrassé d'avoir à aborder ce sujet, mais remettons les choses à leur place : je suis, comme vous l'avez remarqué, un officier de police, plus précisément de la brigade criminelle, et chargé d'une enquête.

– Je savais tout cela. Je connais évidemment tous les détails de cette affaire et je
comprends très bien que vous considériez
toute personne rencontrée comme un suspect potentiel. C'est bien cela, n'est-ce pas ?

Bidart se sentait quelque peu désarmé –
ce dont pourtant il n'était pas coutumier.
En vérité, devant autant de gentillesse, il
était gêné de jouer le grand méchant flic.

– Allons, reprit-elle, comme disait papa,
un moment de gêne est vite passé. Je vous
écoute et répondrai à tout.

Bidart but une gorgée de kir, inspira profondément et reposa son verre.

– Qui, d'après vous ?

– Voilà au moins une question sans
détour ! Malheureusement, c'est peut-être
la seule à laquelle je n'ai pas de réponse.

– Alors, quelle piste ?

– Bonneval !

– Ça, au moins, c'est direct. Et pourquoi ?

– Parce que lui seul peut trouver son intérêt dans l'élimination des différents membres de cette petite bande.

– Je ne vois pas en quoi.

– Prenez les choses par le commence-
ment. Bonneval découvre notre moulin et
se dit qu'il y a là de quoi faire la plus belle

opération immobilière de sa vie. Pour y parvenir, il lui faut convaincre papa de vendre – et cela par quelque moyen que ce soit, propositions financières, intimidations, menaces, harcèlement, etc. Il a aussi besoin d'appuis financiers et se tourne donc vers quelques amis qui ont tous de l'argent. Enfin, pour faciliter les démarches et autorisations, il implique notre maire dans l'affaire. Or voilà que, l'espace d'un mois, papa meurt et Bonneval hérite d'un énorme pactole.

– Mais de qui hérite-t-il ?

– De sa mère, qui était très âgée et qui était brouillée avec lui depuis plus de vingt ans. Elle est décédée fin août à quatre-vingt-treize ans. Il n'a donc plus aucune raison de s'encombrer d'associés. Seulement, comme il leur a tant vanté l'intérêt de l'affaire et qu'il sait très bien que, du coup, ceux-ci ne lâcheront pas le morceau, il lui faut trouver un moyen plus expéditif. Et quoi de mieux que de les éliminer une bonne fois pour toutes ?

– Que pensez-vous de la personnalité des victimes ?

– Rien du tout ! je n'ai jamais vu ces messieurs, ni de près ni de loin, à l'exception de Bonneval. Je ne raisonne que par intuition.

– Vous auriez dû être dans la police, vous !

– Qui sait, un jour futur ?...

– Et pourquoi, selon vous, les saigne-t-il comme des cochons ?

– Sans doute pour détourner l'attention ; pour vous mettre sur la piste d'un *serial killer* psychopathe. Mais vous savez très bien que ce n'est pas lui qui tue les gens, c'est probablement...

– Une femme ?

– Exact.

– Ça se défend. Mais moi qui ai l'expérience des crimes, je peux vous assurer qu'on ne trouve pas si facilement que ça une femme prête à jouer les tueurs à gages.

– Ça dépend du prix qu'on y met !

– Et vous voyez beaucoup de femmes dans l'entourage de Bonneval prêtes à se livrer à ce petit jeu ?

– Je ne fréquente pas le milieu des truands, commandant ; je ne suis pas comme Bonneval.

– Parce que Bonneval connaît des truands ?

– Ne me dites pas que vous n'avez pas entendu parler de cette affaire de partouzes et de chantage autour de ses amis !

– Comment savez-vous tout ça ?

– Parce que tout le monde le savait et que Pouffard est une vraie gazette à lui tout seul !

– Si je comprends bien, vous êtes en train de me dire que Bonneval aurait été l'instigateur de ce prétendu chantage, ce qui lui aurait ensuite permis de faire assassiner tous ces types en mettant les meurtres sur le compte d'une autre affaire ? Mazette ! Si je m'étais attendu à entendre tout ça en vous rencontrant !

Bidart se leva et alla jusqu'à la fenêtre.

– Vous avez une sacrée belle vue d'ici. Voyez-vous, si je devais vivre en région parisienne, j'aimerais habiter dans un endroit comme celui-ci.

Il n'écouta pas sa réponse. Il était ailleurs. En l'espace de quelques minutes, il venait de recevoir un torrent d'informations qui lui faisaient soudain voir la petite Mathilde sous un jour très différent. Le masque de l'adorable jeune femme avait glissé, laissant entrevoir les traits de Machiavel. Qu'y avait-il de vrai et de faux dans tout cela ? Comment était-elle si bien renseignée ? Cherchait-elle à mener le jeu et par là même à cacher certaines choses ?

Il se retourna et s'approcha de la table basse où se trouvaient les bouteilles.

– Vous permettez ?

– Je vous en prie.

– Je vous en sers un autre ?

– Merci, non.

Il but une petite gorgée et reposa son verre.

– Excellent, c'est incroyable à quel point on sent le parfum du fruit. Et, dites-moi, que dit votre amie Caroline Pouffard de tout cela ?

Mathilde se retourna, comme pour regarder le parc.

– Je vais être franche avec vous, commandant. Depuis la mort de papa, nous nous voyons beaucoup moins.

– Pourtant, vous étiez si proches, m'a-t-on dit…

– Disons que Caroline a un peu joué avec le feu. Il y a des moments dans la vie où il faut savoir choisir son camp.

– Vous insinuez qu'elle a trahi votre amitié ?

– Il y a un peu de ça. Voyez-vous, elle a été très proche de nous pendant des années, trop proche même, parfois. Et puis quelque chose en elle, peut-être un soupçon d'arrivisme hérité de son père, je ne sais, l'a empêchée de traiter Bonneval comme il le méritait – c'est-à-dire l'assassin qui avait tué mon père ! Je sais qu'elle le voit de temps à autre et ça m'est insupportable.

– Elle le voit… de façon « intime », si je
puis m'exprimer ainsi ?

– Je n'en sais rien et je ne veux pas le
savoir.

– Et, pour en finir avec toutes ces questions un peu pénibles, que pensent vos deux
frères de toute cette affaire ?

– Pas grand-chose. Enfin, pas grand-
chose de sérieux. Je vais sans doute vous
paraître détestable, commandant, mais
vous savez, ce sont deux pauvres garçons.
Michel est un faible qui n'a que les opinions
des autres. Fred est un écorché et un révolté,
ce qui l'empêche de voir plus loin que le bout
de son nez.

– Et leurs compagnons ?

– Anaïs est une petite peste mal élevée.
Elle n'a qu'une qualité à mes yeux, c'est
d'aimer mon frère. Malheureusement, du
même coup, elle me déteste. Quant au
dénommé Dédé, l'ami de Michel, c'est une
petite frappe. Là non plus ça ne vole pas très
haut. Il suffit de voir de quoi il vit pour se
faire une idée de la carrure du bonhomme.
Vous ne trouvez pas ?

Bidart regarda sa montre et se leva.

– Eh bien je vais vous quitter en vous
remerciant pour tout ce que vous m'avez dit

et pour cet excellent kir. Puis-je utiliser la salle de bains un instant, j'ai dû me mettre un peu de liqueur sur les doigts.

– Bien sûr, c'est la première porte à gauche dans le couloir.

Bidart fit mine de se tromper et ouvrit la porte de la chambre. Tout y était parfaitement rangé. Son regard fut toutefois attiré par la table de nuit sur laquelle se trouvait un cendrier et un paquet de cigarettes : des Stuyvesant Extra Light.

Tandis qu'il faisait couler l'eau dans le lavabo de la salle de bains, il ouvrit les tiroirs d'un petit meuble. Il n'y vit que des serviettes et des gants de bain. Puis il fit glisser les portes vitrées de l'armoire de toilette. Au milieu d'une quantité de flacons, d'étuis, de serviettes périodiques, de Kleenex et de sachets de coton, il aperçut un large ruban de sparadrap. Avec les ciseaux de son couteau suisse, il en coupa une mince bandelette. Puis il referma l'armoire, retira sur une brosse tous les cheveux qu'il put et glissa le tout dans un petit sachet de nylon.

Se passant rapidement les doigts sous l'eau, il ressortit de la pièce et retrouva Mathilde qui venait de débarrasser les verres et les bouteilles.

– Dites-moi, avant de partir, juste une dernière question. La plus gênante de toutes, mais que je ne peux pas ne pas vous poser. Où vous trouviez-vous en fin de soirée le mardi 15 octobre, dans l'après-midi du lundi 21 et vendredi dernier entre dix-huit et vingt heures ?

– Je m'étonnais que vous ne m'ayez pas encore demandé cela ! Le mardi 15 octobre, je suis partie de chez moi très tard dans la soirée. Après avoir fait un petit somme, j'ai roulé toute la nuit pour aller chez des amis dans le Marais poitevin. Le lundi 21 dans l'après-midi, je ne suis pas sortie de chez moi. Et vendredi dernier, j'étais également sur la route ; je revenais de chez des amis dans la Nièvre et j'ai passé trois heures dans les embouteillages en arrivant près de Paris. Vous voulez les coordonnées des différentes personnes chez qui j'étais ?

– Pas pour l'instant, je vous remercie.

Regagnant sa voiture, Bidart marchait le regard rivé au sol, donnant des coups de pied dans quelques châtaignes comme un gosse.

Loin de l'éclairer, cet entretien n'avait fait qu'accroître sa perplexité. Mathilde Halleur, tout comme Caroline Pouffard, avait des raisons d'en vouloir à Bonneval et à son entourage. Mais de là à tuer trois types aussi sauvagement, ça ne tenait pas la route. Par-delà les hypothèses qu'il était facile d'écha-fauder, quelque chose dans cette affaire échappait à toute logique.

Bidart regarda sa montre. Il était tout juste midi et demi. Depuis le début de la matinée, alors qu'il venait de vérifier l'itiné-raire de Bougival à Cergy, une autre pensée lui trottait dans la tête – mais celle-ci dans un registre bien différent.

Annette Leplantier, avec qui il avait vécu près de trois ans lorsqu'il faisait ses débuts à Dijon, tenait aujourd'hui un magasin de chaussures à Maisons-Laffitte. Il lui téléphonait et la voyait de temps à autre quand il venait à Paris.

Après avoir épousé un comptable, Annette était maintenant divorcée et vivait avec sa fille cadette, l'aînée ayant suivi son amoureux vers de lointains rivages.

– Annette, c'est moi, Pierre, tu es libre à déjeuner ?

– J'allais partir, tu es où ?

– Bougival ; je peux être là dans un petit quart d'heure.

– Tu te souviens de la brasserie en bas de ma rue, juste à côté de la station-service. Ça te va ?

Le célibat retrouvé avait provoqué chez Annette une jovialité inattendue et un certain embonpoint auquel la choucroute paysanne et le formidable qu'elle venait de commander ne manqueraient pas d'apporter leur contribution.

Près de vingt ans s'étaient écoulés depuis leurs lointaines amours, mais ils ne s'étaient jamais départis d'une tendresse complice qui, plus d'une fois, les avait poussés sur le chemin des confidences et parfois d'un lit.

Annette s'empressa d'ailleurs de raconter
à Pierre qu'un nouvel homme était en passe
de prendre place dans sa vie, un chauffagiste qui œuvrait du côté de Marine, lui-
même divorcé. Il était entré une fois dans
le magasin pour acheter des chaussures,
avait tout de suite éprouvé quelque chose
pour la jolie marchande, et était revenu
deux fois en l'espace de quinze jours sous
prétexte de nouveaux achats.

Bidart l'écoutait en songeant à tous les
repas qu'il était allé faire chez les Scheffer
alors qu'il n'avait pas le moindre appétit,
mais simplement pour voir Marianne aller
et venir dans son restaurant.

– Tu penses à quoi ?

– À rien. À des camions remplis d'objets
achetés simplement pour revoir la vendeuse
ou le vendeur.

– Tu es stupide ! Et toi, ça va comment
avec Marianne ?

– Bien, pourquoi ?

– Comme ça... Je te trouve une petite
mine. Tu as des soucis ? C'est la petite qui
te fait encore des misères ?

– Alice ? Non, non, avec elle tout va bien
depuis des années ; il y a belle lurette qu'elle
a fini sa crise.

– En tout cas, on peut dire qu'à un moment donné elle a vraiment tout fait pour t'emmerder, celle-là !

– C'était de bonne guerre. Et puis, qui sait, ta fille fera peut-être la même chose avec ton chauffagiste…

– N'empêche que je ne te trouve pas dans ton assiette. C'est le boulot ?

– C'est un interrogatoire, commissaire Leplantier ?

– Exactement. Et il va falloir cracher le morceau… je n'ai pas de temps à perdre !

– En ce cas, je vais tout de suite passer aux aveux. Je n'ai pas à proprement parler des soucis, mais plutôt des tracas avec une affaire sur laquelle je suis mal à l'aise.

Bidart résuma l'histoire dans ses grandes lignes.

– Tu vois, conclut-il, ce qui est étrange, dans le cas présent, c'est que j'avance, que les pièces du dossier s'accumulent, que je sais très bien que je vais bientôt trouver quelque chose, et pourtant je ne sens aucune des pistes sur lesquelles je suis. Il y a quelque chose autour de moi que je n'arrive pas à percevoir, comme une espèce de malaise qui flotte dans l'air. Marianne connaissait un peu les victimes et ne veut pas en parler. Les collègues me font sentir que les choses devraient aller plus vite, alors que l'affaire suit son cours de la façon la plus normale qui soit. Je ne sais pas…

Annette lui prit la main.

– Et c'est pour ça que mon gros renard voulait me voir, pour que je le console ?

– « Mon gros renard »… Il y a bien long-temps que je ne suis plus ton gros renard.

– Tu le regrettes ?

– Certains jours, oui. J'ai été con et tu le sais bien. Je ne t'ai pas donné ta chance. Il n'y avait que ma réussite professionnelle qui comptait. Je me voyais déjà commissaire divisionnaire, et regarde le résultat. Dans moins de dix ans, je serai à la retraite. La page d'une vie sera tournée. Qu'est-ce qu'il en restera ?

– Oh là, Bidart, accroche-toi, tu décon-nes, là. Tu vas pas te laisser couler !

– C'est vrai que je déconne. Demain ça ira mieux.

– Dis-moi, Pierre…

– Quoi donc ?

– Et si c'était Marianne ?

– Marianne l'assassin ?

– Pourquoi pas ?

– Joli scénario ! Mais elle dormait à côté de moi le soir du premier meurtre et elle était à la maison ou avec moi lors des suivants. Cela dit, tu devrais écrire des polars. Ça ferait un beau sujet !

Les clients commençaient à déserter la brasserie et Annette regarda sa montre.

– Mon Dieu, je devrais déjà avoir ouvert ; j'attends une livraison en début d'après-midi. Tu m'appelles très vite ?

– Très vite…

– Ah, au fait, je vais te donner ma nouvelle carte, j'ai un fax et même une adresse e-mail si tu as envie de m'écrire des mots doux.

– Mais tu es une vraie femme du troisième millénaire !

Elle griffonna quelque chose au dos de la carte, la lui tendit et partit comme un coup de vent. Bidart la suivit un instant du regard tandis qu'elle disparaissait dans la foule, puis jeta un coup d'œil à la carte rose fluo du magasin. Un peu trop racoleuse, mais bon ! Ça devait être une création artistique du chauffagiste ou du petit ami de la fille. Il la retourna pour voir ce qu'Annette avait rajouté et découvrit ces quelques mots : « Au seul homme que j'ai aimé dans ma vie. Peut-être qu'un jour... »

L'hôtel de police de Cergy se trouvait le long de l'autoroute A15 et ressemblait de prime abord à un gros bloc de béton lie-de-vin.

Le capitaine Langeais, un homme d'une quarantaine d'années aux allures plutôt urbaines dans tous les sens du terme, attendait Bidart et avait soigneusement préparé son dossier.

Les photos prises dans le cabinet d'Auvray ne laissaient place à aucune équivoque. L'homme s'était débattu comme un beau diable, mais en vain. L'assassin avait dû l'observer et savourer l'instant tandis que la vie l'abandonnait.

Bidart essayait d'imaginer Caroline Pouffard ou Mathilde Halleur se tenant debout dans cette pièce, regardant la victime avec mépris, goûtant cette vengeance. Il essayait même d'imaginer les phrases que l'une ou l'autre aurait pu prononcer :

– Alors, espèce de salaud, on frime moins,
n'est-ce pas ? Tu ne t'imaginais pas que
pousser Guillaume Halleur au suicide
t'amènerait là, à crever comme un porc
saigné pour faire du boudin...

Caroline ? Mathilde ? Les deux ensemble ?
Marushka ? Une autre créature commandi-
tée par Bonneval ou par André Marchand ?

Langeais feuilletait les pages dactylogra-
phiées qu'il avait classées dans des chemises.

– Le légiste nous a confirmé son diagnos-
tic initial : la mort est survenue aux environs de vingt heures des suites de l'hémor-
ragie provoquée par les entailles. Il n'y a eu
aucune violence à l'exception d'un coup de
matraque sur la nuque pour l'immobiliser
quelques instants. Les autres hématomes
ont tous été provoqués par la victime elle-
même en tentant de se libérer. L'autopsie n'a
pour l'instant rien révélé de particulier. On
verra avec les analyses. Mais on ne s'attend
apparemment pas à grand-chose.

– Et l'Identité judiciaire ?

– Rien de très intéressant non plus.
Comme je vous l'avais déjà dit samedi, les
empreintes étaient très nombreuses, ce qui
est normal dans le cabinet d'un médecin.

Le meurtrier devait porter des gants en arrivant et n'a pas laissé d'empreintes sur la sonnette, ni sur les poignées de portes. Aucun
signe d'effraction non plus : le docteur
Auvray a lui-même ouvert la porte. Si l'on
maintient l'idée que c'est une femme qui a
fait le coup, il s'agit vraisemblablement de
cette patiente qui avait rendez-vous à dix-
neuf heures sous le nom de Christine Honorin. La secrétaire qui avait pris le rendez-
vous ne l'a pas vue, puisqu'elle quitte le cabinet à dix-sept heures le vendredi. Personne
non plus ne l'a aperçue dans l'immeuble. Et,
bien entendu, il n'y a pas la moindre Christine Honorin dans toute la région. Nous en
avons trouvé une à Bayonne qui est boulan-
gère, et une autre, septuagénaire et sans
profession, à Roubaix. J'imagine que ça ne
vous intéresse pas beaucoup...

– Et le voisinage, la famille ?

– Rien ! Un homme sans histoire pour les
voisins, aussi bien ceux du cabinet que ceux
de son domicile, le genre beau médecin qui
réussit. Sa femme, qui a douze ou treize ans
de plus que lui, est sous le choc. Elle considère évidemment que le meurtre est lié à
celui de vos deux autres lascars de Rouen,
mais elle ne voit pas qui pourrait être le

meurtrier. Elle pense que c'est un fou qui s'en est pris à toute cette bande.

– Bonneval ?

– Ce nom figure effectivement dans sa déclaration. Je vous en ai fait une photocopie – à titre officieux, bien sûr. Mais madame Auvray n'a pas formulé le moindre soupçon à son égard.

– A-t-elle évoqué la fille du maire ou celle de Halleur ?

– Pas une seule fois.

– Et sa maîtresse, vous l'avez rencontrée ? Il paraît qu'il avait une liaison tout ce qu'il y a de plus officielle depuis des années...

– Oui, oui, effectivement. Nous l'avons entendue ce matin. C'est la femme d'un médecin qui travaille dans la clinique où Auvray avait l'habitude d'opérer. Étant *persona non grata* à Saint-Pierre-l'Abbaye, elle n'a jamais rencontré tous ces gens qui gravitent autour de ce fameux projet de golf ; elle ne les connaît pour la plupart qu'à travers ce qu'Auvray a pu lui en dire.

– Et en avait-il dit quelque chose d'intéressant ?

– Justement, il se trouve qu'il avait très récemment fait part à son amie de craintes qu'il avait à l'égard de Bonneval. Vous pour-

rez lire tout ça ; je vous ai également fait une
copie de sa déposition.

Les deux hommes avaient fait le tour de
toutes les informations à leur disposition
dans l'immédiat, et Bidart prit congé.
  Plutôt que de regagner l'autoroute de
l'Ouest, il emprunta l'A15, qui se prolonge par
la nationale de Rouen, ce qui lui valut de
passer par Bonsecours devant l'étude de
maître Duparc. « Le prochain ? » se demanda-
t-il. Mais il éprouva dans le même temps une
réprobation à l'égard de cette idée. Ça suffisait
comme ça, la plaisanterie avait assez duré.

Il n'était d'ailleurs pas le seul à considérer
que cela avait assez duré. En arrivant à Rouen,
un Post-it de la main d'Yvonne lui demandait
de rappeler d'urgence le juge Bianchini.

  – Bidart, ça m'ennuie beaucoup de vous
dire cela, mais je vais être obligé de vous
dessaisir de ce dossier.

Bidart ne répondit même pas. Une espèce d'écœurement l'envahissait, un sentiment de honte et de colère mêlées qu'il n'avait pas ressenti depuis d'innombrables années montait en lui, chaud, étouffant. Il regardait vers la fenêtre. La grande roue de la foire Saint-Romain tournait devant lui par-dessus les toits, mais il ne la voyait pas.

– Je suis obligé, reprit Bianchini, croyez bien que si ça ne tenait qu'à moi. Mais je…

– … Mais vous faites l'objet de pressions extérieures, je sais bien.

– Peut-être plus encore que vous ne l'ima-ginez.

– Vous pouvez me donner encore deux ou trois jours ?

– Honnêtement, je n'en suis même pas certain. Je vais faire mon possible. Je vous rappelle demain matin. Mais ne m'en veuillez pas si je ne vous accorde pas ce délai.

– Bien sûr.

Le téléphone raccroché, Bidart, accoudé, posa le menton au creux de sa main. Il regar-dait le sol. Il était si loin de tout ça. Des images dansaient derrière ses paupières. Il revoyait le corps d'Annette la dernière fois qu'ils avaient fait l'amour. Il était passé chez elle, comme ça, un après-midi. Il venait seulement pour prendre un café. Son mari était chez des clients. Et puis, soudain, tout avait basculé. Il revoyait aussi Marianne le jour de la mort de son mari, cet étrange sourire mêlé de tristesse qu'elle lui avait adressé, le regard de haine d'Alice qui ne lui avait plus adressé la parole pendant des années. Il revoyait la cascade du moulin et il lui revenait les sanglots de Michel Halleur. Il entendait l'écho des phrases du juge Bianchini : «... croyez bien que si ça ne tenait qu'à moi... », « Ne m'en veuillez pas ». Il n'en voulait effectivement à personne, sinon à lui.

Il n'entendit pas Jean Morel entrouvrir la porte et ne se rendit même pas compte qu'il était là depuis bientôt une minute.

– Je vous dérange, chef ?

– Plus rien ne peut réellement me déranger, mon pauvre Jean.

– Des ennuis ?

– Même pas. Une espèce de point final à une histoire qui n'avait pas vraiment commencé.

– Le moulin ?

– Bianchini vient d'appeler. Il va sans doute refiler le dossier à la PJ. Je lui ai demandé une semaine, rien qu'une semaine. Il ne sait même pas s'il peut nous l'accorder !

– Mais ce n'est pas bien grave… Vous avez l'air de faire une fixation sur cette affaire. Elle n'en vaut pas la peine.

– C'est vrai. Mais c'est sans doute parce que c'est la première fois que quelque chose m'échappe de la sorte.

Morel s'approcha du bureau et s'assit en face de Bidart.

– Allons, chef ! Rien ne vous dit que vous n'aurez pas ce délai d'une semaine… et rien ne vous dit non plus qu'on ne coincera pas notre bonne femme d'ici à dimanche !

– Que Dieu vous entende, mon cher Jean !

– J'ai d'ailleurs des informations pour vous. J'ai eu les gens de chez Catena. En ce qui concerne la cordelette de nylon, c'est effectivement un modèle exclusif qu'ils font faire à leurs couleurs. Vous savez, tout est rouge et blanc chez eux ! Pour ce qui est des clients, c'est un peu plus compliqué. Si l'achat a été réglé par carte bancaire, ils doivent pouvoir retrouver les noms que nous cherchons. Il faudra ensuite vérifier par l'intermédiaire des banques. En revanche, si le règlement a été effectué par chèque, c'est plus long. Il faut attendre que les coordonnées du client aient été saisies dans le fichier qu'ils utilisent pour leur publicité.

Bien évidemment, en cas de paiement en espèces, on n'a aucune trace.

– Bon, c'est toujours ça. On verra demain.

Bidart se leva.

– Je crois que je vais aller faire un peu d'auto-tamponneuse et de manège à la foire. Ça me changera les idées.

Mais Bidart n'alla pas à la foire. Il prit sa voiture et se rendit dans la forêt de Roumare, plus précisément au lieu-dit « Le Rond-de-la-Martel », là où Vincenot avait été assassiné.

Il s'assit sur un tronc d'arbre abattu et essaya une fois encore d'imaginer la scène. Il savait très bien que cela ne le mènerait à rien. Mais il le fallait. Question de principe. Il revoyait la BMW garée là, juste au milieu du chemin. Il imaginait une jeune femme en sortant. Il voyait une silhouette s'éloigner. Comment était-elle repartie ? Et d'ailleurs, où était-elle repartie ? À Rouen ? À Paris ? Quelqu'un l'attendait ?

Il vit un chevreuil traverser le chemin à quelques mètres à peine. On entendait le gazouillis des oiseaux dans les arbres. Bientôt, ce serait la nuit.

IX

Mardi 29 octobre

La nuit vint effectivement. Mais pas le sommeil. Bidart se retourna dans son lit une fois, dix fois, cent fois. Il se leva à plusieurs reprises pour aller boire de l'eau fraîche dans la cuisine. Dehors, le silence n'était troublé que par le carillon de l'église Saint-André qui égrenait inexorablement les heures et les demi-heures. Parfois, au loin, il entendait le bruit d'une voiture ou l'écho d'une brève dispute entre deux chats.

Il revoyait dans le désordre quelques images de la nuit où Messmer était venu le réveiller pour le prévenir qu'il avait découvert le cadavre de Levasseur. C'était il y a tout juste quinze jours. Il entendait le substitut du procureur expliquer à Talmont que les collègues de la PJ étaient débordés. Et celui-ci de répondre, avec un soupçon de forfanterie : « Notre commandant Bidart se plaignait justement de ne pas avoir de travail en ce moment ; nous devrions pouvoir faire ça, monsieur le substitut. »

Qu'avait-il fait en quinze jours ? Du vent. L'assassin s'en était donné à cœur joie, le narguait en signant chacun de ses crimes. Il avait autour de lui une kyrielle de suspects, dont l'un était forcément le meurtrier, mais pas un seul indice suffisamment solide pour dire lequel.

Déjà le jour se levait. Bidart avait la langue pâteuse. Il se fit couler un bain bien chaud qu'il parfuma à l'excès de quelque produit turquoise avant de se glisser dans la mousse. La grande glace fumée de la salle de bains lui renvoyait l'image d'un homme fatigué.

Il repensait aux propos qu'il avait tenus la veille à Annette : « Dans moins de dix ans, la page d'une vie sera tournée. Qu'est-ce qu'il en restera ? »

Emmitouflé dans son peignoir, il alla s'allonger sur le lit pour quelques minutes. Et il s'endormit. Enfin.

Il était près de neuf heures lorsqu'il ouvrit un œil. Marianne avait tiré les rideaux pour qu'il ne soit pas dérangé par le jour et venait d'apporter un plateau avec un petit déjeuner digne de la suite nuptiale d'un hôtel Formule 1.

– Jean vient de téléphoner, lui dit-elle, je crois qu'il a une bonne nouvelle pour toi, tu devrais le rappeler.

Bidart composa le numéro sans même regarder le cadran.

– Vous cherchiez à me joindre, Jean ?

– Le vent tourne, mon général. Bianchini nous accorde une semaine de plus. Et, plus fort encore, les gendarmes de Cabourg ont cueilli tôt ce matin l'ami Lucchini et sa copine ; ils nous livrent tout ça vers dix heures.

– Nom de Dieu, j'arrive !

Après trois krisprols suédois avalés à la hâte avec un grand verre de jus d'orange pasteurisé en Israël, un yaourt aux fruits sauvages et leurs petits insectes des forêts vendéennes, et un café lyophilisé choisi spécialement pour lui sur les pentes du Kilimandjaro, Bidart dévalait déjà le boulevard des Belges en direction de l'hôtel de police.

Morel devait guetter son arrivée.

– Un café, chef ?

– C'est moi qui vous l'offre… avec une grenadine en prime, si vous voulez. Alors, par quel miracle a-t-on coincé Lucchini ?

– Il tabassait sa gonzesse en pleine nuit dans un studio qu'on leur avait prêté. Elle en a eu marre et elle s'est tirée avec la voiture. Manque de bol, elle s'est cartonnée contre un camion à cinquante mètres de là. Nouvelle engueulade dans la rue. Les gendarmes sont arrivés… et voilà.

– Et Bianchini ?

– Je l'ai eu au téléphone ce matin ; il a dit aux collègues d'en face que nous étions sur une piste très solide et qu'il ne pouvait en aucun cas nous dessaisir avant la semaine prochaine.

Martine Lorbach les rejoignit.

– Vos amis de Cabourg sont arrivés.

La ravissante Bulgare des photos éroti-
ques n'avait pas le teint particulièrement
frais. Quelques hématomes bleuissaient
son visage, et les gendarmes n'avaient eu à
l'évidence ni Babyliss ni base fluide teintée
à lui prêter dans le fourgon. La créature
voluptueuse ressemblait davantage pour
l'heure à une gamine renfrognée. Quant à
Lucchini, petit, trapu, les mains plus larges
que longues, le cheveu court et rare, le teint
mat et l'œil façon musaraigne, il portait déjà
le masque de circonstance du type étonné
qui ne comprend pas ce qui lui arrive.

– Détendez-vous, mon vieux, lui dit Bidart
en le poussant avec douceur et fermeté vers
une petite pièce meublée en tout et pour
tout d'une table et de trois chaises. Nous
avons toute la journée pour bavarder tranquillement. Que dis-je ? Nous avons jusqu'à
jeudi matin s'il le faut.

– Je n'ai rien à dire.

– Mais non, mais non, il ne faut pas commencer comme ça.

Il fallut une bonne demi-heure pour dérouiller les cordes vocales du voyou. Un subtil mélange de café, de cigarettes, de menaces et de promesses finit par lui rendre la parole.

Morel goûtait avec délectation la façon dont le patron s'y prenait. Ce n'était pas le quai des Orfèvres qu'il aurait dû ambitionner, mais plutôt celui d'Orsay, voire celui de Conti. Debout dans un coin de la pièce, se faisant discrète, Martine Lorbach observait elle aussi les travaux pratiques.

Visiblement Bidart connaissait le dossier par cœur, rappelant à Lucchini certains épisodes de ses débuts de proxénète à Marseille sous la conduite de Loulou Marlboro, un vieux qu'on avait retrouvé quelques années plus tard dans un sac au fond du Vieux-Port. Il évoqua le trafic de voitures volées à Toulouse, le procès, les deux ans de tôle, les relations qu'il s'y était faites, les fréquentations qu'il avait eues ensuite à Paris dans le neuvième, l'affaire du bar de la rue Blanche… Peu à peu Lucchini sentait que sa tactique initiale ne déboucherait sur rien.

Doucement mais sûrement, il venait.

– Et si l'on parlait de ton séjour à Rouen…
Jolie ville, n'est-ce pas ?

– À voir.

– Justement, il y a beaucoup de choses à
voir, des monuments, des musées…

– Bof…

– Tu ne t'intéresses peut-être pas aux
arts ?

– Pas vraiment.

– Pourtant, tu fais de jolies photos.

– Sur commande uniquement.

Morel sourit. Le type se mettait à table. Il
adressa un clin d'œil à Martine.

– Et qui sont tes clients ?

– Mes modèles, monsieur le commissaire !

– Commandant, reprit Bidart, je réalise
que nous n'avons pas été présentés. Tu veux
dire, si j'ai bien compris, que, dans le cas
par exemple des photos prises chez l'avocat
de la rue de l'Ancienne-Prison, c'était lui qui
t'avait demandé de les faire ?

– Exact.

– Tu te fous de ma gueule ?

– Non, commandant, vous avez ma parole.

– Ce ne serait pas plutôt votre amie commune Nadia Delpire qui t'aurait suggéré de
faire ces photos, et d'ailleurs prêté ses clés
pour entrer dans l'appartement ?

– Ne me parlez pas de cette pute, commandant. Je n'ai rien à faire avec elle.

– Ça c'est vite dit.

– C'est une copine de Marushka, rien de
plus.

– Exact. Mais Marushka, c'est aussi ta
copine. Tu ne crois pas que ça serait plus
simple de mettre tout au carré avant que je
m'énerve ? Alors on reprend. Comment as-
tu connu Vincenot ?

– Par Marushka, qui est copine avec la
Delpire.

– Et tu as dit à Vincenot que tu étais un
excellent photographe et que tu pourrais
éventuellement immortaliser ses bonnes
soirées sur des clichés. C'est bien cela ?

– Exact.

– Et il t'a confié un trousseau de clés pour
que tu puisses entrer discrètement chez lui
et prendre tes photos sans déranger les invités.

– Exact.

– Ensuite, tu lui a rendu les clés et les photos. Au fait, tu prends combien pour ce
genre de prestation ?

– Il m'a proposé cinq mille en espèces
pour les négatifs.

– Et après, l'affaire a été bouclée et toi tu
es reparti tranquillement vers d'autres hori-
zons. Tu t'es même dit que tu avais vu assez
de choses comme ça à Rouen et tu as rendu
ton appartement...

– Exact.

– Eh bien voilà une affaire parfaitement
claire et bien expliquée. Le problème... c'est
que tout est faux. On va donc recommencer ;
je t'ai dit qu'on avait jusqu'à jeudi matin.

– Mais vous n'avez aucune raison de me
garder, je vous ai tout dit.

– C'est ça, mon gars. Tu as juste oublié de
nous dire que tu avais demandé beaucoup
plus que cinq mille francs à chacune des
personnes que tu as photographiées et que,
n'ayant pas obtenu ce que tu voulais, tu as
eu le coup de cutter maladroit...

Lucchini se leva comme si on venait de
lui envoyer du quatre cents volts dans les
fesses.

– Jamais ! Vous n'avez pas le droit !

Morel lui posa la main sur l'épaule.

– Couché, Youki, tu vas te blesser !

– Donc, reprit Bidart, comme tes clients
n'ont pas accepté ta proposition, tu t'es un
peu énervé. Ce sont des choses qui arrivent.

– Mais puisque je vous dis que c'est Vincenot qui m'a commandé les photos !

– Et dans quel but ?

– Je ne sais pas, moi…

– Évidemment, c'est plus facile d'avoir des témoins morts que vivants. Ils ont moins l'esprit de contradiction.

– Je n'y peux rien !

– Le problème, c'est qu'on a relevé tes empreintes chez la victime, celles de ta copine Marushka dans la Mercedes de Levasseur, et, pour finir d'arranger ton cas, il y a d'autres témoins qui eux ne sont pas morts, et qui nous ont longuement parlé de toi : ta copine Delpire et ton ami Dédé, par exemple.

– Je ne connais pas de Dédé !

– André Marchand, si tu préfères. Ça ne te dit rien ? Lui, en tout cas, il connaît parfaitement ton rôle dans cette affaire et les raisons pout lesquelles Marushka et toi avez gentiment saigné vos victimes et mis à chaque fois un petit morceau de tulle blanc.

– Mais nom de Dieu, comment il faut vous le dire ? Je ne sais rien de tout ça. Je ne sais pas qui est votre Dédé. Je suis innocent !

– Innocent comme une jeune mariée qui attend son fiancé dans un moulin…

– Quel moulin ? Je ne comprends rien de ce que vous me dites !

– Michel Halleur, Marc Auvray, François Bonneval, Philippe Duparc… tout ça aussi, ce sont des gens dont tu n'as jamais entendu le nom ?

– Halleur et Auvray, je n'en ai jamais entendu parler. Duparc, ça ne serait pas l'un des types sur les photos ?

– Tu vois que tu le connais. Il t'a payé, lui ?

– Mais je vous dis que je n'ai fait ces photos que parce que Vincenot me l'a demandé, que je n'ai rien à voir dans tout ça.

– Pourtant tu connais Duparc.

– Je n'ai pas dit que je le connaissais ; j'ai seulement dit que j'avais sans doute entendu Vincenot prononcer son nom. C'est tout.

– Tu vois que ça te revient. Et Bonneval ?

– Lui non plus, je ne le connais pas, mais je sais qu'il n'était pas copain avec Vincenot. Je l'ai entendu un jour dire que c'était une vraie saloperie…

– Eh ben on avance. On va peut être aller droit au but. On sait que c'est Marushka et toi qui avez fait le coup. Alors tu nous dit gentiment qui t'a commandé le travail et tout ira mieux.

– Nom de Dieu, ça va pas recommencer !

– Calme, Youki, reprit Morel, on fait notre travail. On ne cherche pas à te faire des ennuis.

Bidart lui posa la main sur l'épaule.

– Écoute. Tu sais très bien que tu es grillé. Je vais te garder quarante-huit heures ; ce sera largement suffisant pour avoir de quoi te déférer devant le juge, qui ne fera pas la fine bouche pour délivrer un mandat de dépôt. Résultat, tu vas te retrouver au trou, et moi je ne pourrai plus rien pour toi. Sois raisonnable. Tu lâches le morceau ; tu nous expliques tout en détail, et nous, en échange, on fera le maximum pour toi.

– C'est ça, oui, cause toujours. Je ne vais quand même pas avouer quelque chose que je n'ai pas fait. Ça ne va pas recommencer ?

– Mais si, ça va recommencer. Alors on reprend.

Bidart laissa Lucchini entre les mains de Morel et alla s'occuper de Marushka.

Avec elle, les choses allèrent beaucoup plus vite. C'était à l'évidence une pauvre fille dont l'unique richesse résidait dans quelques rondeurs que d'autres se chargeaient de commercialiser depuis des années.

Elle ne comprenait rien à toute cette affaire. Elle avait atterri à Rouen avec Lucchini, qui l'avait branchée sur différents réseaux d'amateurs, et c'est ainsi qu'elle s'était retrouvée dans les lits d'une poignée de notables, en particulier dans celui de Levasseur, encore tout chaud du passage de Nadia Delpire.

Les soirées folichonnes de chez Vincenot étaient pour elle de la routine. Elle avait effectivement entendu parler d'une histoire de photos prises par Lucchini, mais personne ne lui avait expliqué à quoi elles devaient servir. Certes, elle avait un jour assisté à une engueulade assez sévère entre Vincenot et Lucchini au cours de laquelle l'un d'eux avait prononcé le mot de «chantage», mais elle n'imaginait pas Pierre-Ange mêlé à ce genre d'histoire. Elle avait même plutôt eu l'impression que c'était lui qui reprochait quelque chose de pas très élégant à l'avocat. Était-ce lui qui avait demandé à Lucchini de faire des

photos ? Et sinon, comment s'était-il introduit dans l'appartement ? Qui était le quatrième type sur les photos ? Sa cervelle
d'oiseau n'avait rien enregistré de tout cela.

Quant aux meurtres, elle n'y comprenait
strictement rien. Auvray, Bonneval, Pouffard, tous ces noms lui étaient parfaitement
étrangers.

Tout ce qu'elle avait retenu, c'est que deux
personnes qu'elle avait côtoyées avaient été
assassinées, que la rumeur laissait entendre
qu'une femme était peut-être mêlée à ces
crimes épouvantables et que les ennuis
n'étaient pas loin. Mieux valait par consé-
quent ne pas s'attarder dans la région.

Que savait-elle et que pensait-elle de
Nadia Delpire ? Qu'elle était une arriviste et
une intrigante qui s'était acoquinée avec
Vincenot pour jouer les grandes dames ;
qu'elle s'était servie d'elle comme des
autres ; qu'elle n'avait aucune amitié pour
elle. Et André Marchand, le connaissait-
elle ? Oui. C'était même presque un copain.
Il était parfois venu rue Beffroy, dont une
ou deux fois avec son petit ami, un certain
Michel. Était-il en affaires avec Lucchini ?
Pas à sa connaissance. Elle l'avait simplement entendu parler un jour d'un grand

projet hôtelier qu'il avait avec son ami Michel. Et ils avaient évoqué le fait que si cela se réalisait il y aurait du travail pour tous les amis. Mais cela ressemblait plus à un rêve qu'à un projet concret. S'agissait-il par hasard d'un golf autour d'un moulin ? Elle ne s'en souvenait pas.

– Bien, conclut Bidart. Je suis obligé de vous maintenir en garde à vue pendant encore quelques heures pour les besoins de l'enquête. Mais vous serez libre ce soir.

Il appela Morel pour faire le point.

– Alors ?

– Tête de mule. Il commence à me les gonfler. Dommage qu'on ne puisse plus les buter comme au bon vieux temps.

– Allons, Morel, c'est de la légende, ça. Qu'est-ce qu'il vous a raconté de plus ?

– Rien. Il s'obstine à dire qu'il ne connaît personne d'autre que Vincenot, avec qui il a été mis en relation par la Delpire ; que c'est lui qui lui a demandé de faire les photos. Point barre.

– Et André Marchand ?

– Il ne le connaît pas.

– Alors que la petite vient de me dire que c'était un copain et qu'il était même venu chez eux rue Beffroy avec le fils Halleur !

– Autrement dit, il est aussi au courant de l'affaire du moulin par ce biais. Pas net. Qu'est-ce qu'on fait ?

– Je vais demander à Bianchini une prolongation de la garde à vue de vingt-quatre heures, et puis on va aller se promener. On va aller voir la parfumeuse, le père Bonneval, et, sur le chemin du retour, on cueillera Marchand pour une petite confrontation.

Bidart alla téléphoner dans son bureau.

– Bonjour monsieur le juge, commandant Bidart à l'appareil. Nous avons interpellé ce matin deux individus que nous avions inscrits au fichier des personnes recherchées, un certain Pierre-Ange Lucchini, auteur de photos prises au domicile de Vincenot, et mademoiselle Marie-France Langlade, sa protégée. Il serait souhaitable de prolonger la garde à vue de Lucchini de vingt-quatre heures.

– Pas de problème. Je m'en occupe.

– Merci, monsieur le juge.

– Dites-moi, commandant…

– Oui?

– Vous savez qu'en tout état de cause je ne pourrai pas vous laisser l'affaire au-delà de la fin de la semaine.

– Je sais, le lieutenant Morel me l'a dit ; et je vous remercie de ce délai.

– C'est plutôt lui que vous devriez remercier, commandant. De vous à moi, s'il n'avait pas autant insisté, l'affaire vous aurait déjà échappé.

– Je vous remercie quand même.

Trois heures venaient de sonner au Gros-Horloge et les deux hommes n'avaient même pas eu le temps d'avaler un sandwich.

Morel, qui sentait les frémissements de l'affaire agir sur le moral de Bidart, n'osait pas évoquer des préoccupations aussi bassement matérielles, alors que mille odeurs de kebabs, paninis et gaufres déferlaient dans la rue piétonne, sans parler du Quick qui se trouvait juste en face de la parfumerie.

Bidart jeta un regard oblique vers l'affichette de la vitrine.

– Je vous paye un double cheeseburger et un Coca, Jean?

– Quoi? Vous, dans un truc pareil?

– On a bien le droit de savoir de quoi se nourrit l'humanité décadente.

– Pas si terrifiant que ça, marmonna Bidart entre deux bouchées; mais dans une assiette avec des couverts et un maître d'hôtel pour faire le service, ça serait quand même mieux...

– C'est là que réside la décadence que vous évoquiez!

– Je ne sais plus si c'est Clemenceau ou Churchill qui a dit que les Américains avaient été le seul peuple à passer de la barbarie à la décadence sans connaître la civilisation.

– Vous êtes dur, là!

– Ce n'est pas moi qui l'ai dit.

– Mais vous le pensez un peu, je vous connais.

*
**

Le deux hommes se tinrent une minute
en retrait dans la rue devant la parfumerie
avant d'y entrer, cherchant du regard Nadia
Delpire, mais ils ne l'aperçurent pas.

– Mademoiselle Delpire est absente jusqu'à
la fin de la semaine, expliqua une créature
poudrée ; elle a pris quelques jours de congés
pour aller voir sa mère qui est très malade.

– Et vous savez où on peut la joindre ?

– C'est personnel ?

Bidart présenta discrètement sa carte tricolore.

– Si l'on veut.

La vendeuse afficha un air à la fois interrogateur et inquiet.

– Il n'est rien arrivé de grave ?

– À elle, non. Si elle appelle, soyez aimable de lui demander de se mettre immédiatement en rapport avec le commandant
Bidart. Elle a mes coordonnées.

– Salope, murmura Morel dans la rue.

– On reste poli avec les dames, Jean.

– Qu'est-ce qu'on fait ?

– Un petit tour chez le promoteur.

Tandis que Morel conduisait, Bidart
essaya d'appeler Nadia. Aussi bien chez elle

que sur son portable, il tomba sur les répondeurs et laissa des messages.

– Vous y croyez, vous, à la mère malade ?

– Pas la moindre idée.

Bonneval raccompagnait un client sur le pas de la porte et ne put éviter les deux policiers qui venaient de garer leur voiture juste devant lui.

– Ah, voilà la maréchaussée ! Alors, commandant, ça avance ?

– Justement, vous allez peut-être nous y aider.

Bonneval afficha un sourire de masque.

– C'est que vous tombez mal, j'ai un conseil d'administration qui commence.

Bidart avait retrouvé en l'espace d'une seconde son agressivité à l'égard du bonhomme.

– Monsieur Bonneval ! premièrement, on tombe toujours mal, c'est même une règle d'or dans la police ; deuxièmement, votre nom a été suffisamment cité par un certain nombre de témoins importants pour que je puisse vous mettre *illico presto* en garde à vue afin de vous auditionner dans nos murs. À vous de choisir.

Bonneval se retourna en marmonnant quelques mots parmi lesquels « merde » et « chier » devaient tenir lieu de signes de ponctuation.

En passant dans le hall, Morel vit une autre fille que Karine à la réception.

– Vous avez changé d'hôtesse, monsieur Bonneval ?

– Si l'autre vous plaisait, elle est libre depuis hier soir. Heureusement qu'on est encore le patron chez soi – du moins pendant la période d'essai ! Tenez, dit-il en poussant une porte, on va se mettre dans la salle de réunion.

– J'aurais préféré votre bureau, c'est une belle pièce.

– Impossible, il est occupé.

Il s'assit en bout de table et ralluma son cigare.

– Alors, commandant, que puis-je pour vous cette fois-ci ?

– Tout d'abord, me parler de vos relations avec mademoiselle Caroline Pouffard.

– Inexistantes, commandant. J'ai eu
affaire à son père dans le cadre du projet
avorté de golf que vous connaissez. J'ai dû
rencontrer la petite Caroline deux ou trois
fois chez ses parents. Gentille jeune femme,
n'est-ce pas ? Je crois savoir qu'elle tient un
petit commerce à Rouen.

– Donc, aucune relation particulière
entre vous ? Vous n'avez jamais eu l'occasion de la rencontrer en tête à tête, de lui
téléphoner, de l'emmener dîner, de lui faire
des cadeaux ?

– Absolument pas ! Je saurais à peine vous
dire la tête qu'elle a.

– Il suffirait pourtant de regarder la photo
que vous avez d'elle dans votre bureau.

– Quelle photo ?

– Une photo dans un petit cadre argent,
ça ne vous dit vraiment rien ?

– Mon Dieu ! Comment aurais-je pu
penser à cette photo ? Vous êtes bien rensei-
gné, commandant. Vous avez vos indics
jusque dans les entreprises, j'imagine ! Figu-
rez-vous que cette photo a tout simplement
été dans un cadre que j'ai acheté pour en
faire cadeau à madame Claude Pouffard.
Vous voyez, vous faites fausse piste ! Il y a
d'ailleurs bien longtemps qu'elle n'est plus

dans mon bureau. Allons, commandant, il faut être sérieux : qu'auriez-vous voulu que je fasse d'une photo de cette gamine ?

– Ça se défend. Reste à vérifier.

– C'est votre droit le plus absolu, et je ferais de même.

Bonneval était de granit poli, sans la moindre aspérité. Lourd, froid, il menait le jeu et le sentait bien. Les questions glissaient sur lui. Bidart travaillait sa respiration, essayait de se détendre. Morel préférait rester en retrait. Il n'était pas de taille à jouer la partie.

– Le docteur Auvray a confié à une personne peu avant sa mort qu'il vous soupçonnait d'être impliqué dans cette série de meurtres.

Bonneval s'esclaffa en se balançant en arrière.

– Répétez-moi ça, commandant, je n'ai jamais entendu quelque chose de plus ridicule ! Et puis-je savoir pour quelles raisons j'aurais eu intérêt à voir disparaître ces malheureux ?

– Vous auriez eu, au dire d'Auvray, le champ libre pour mener ensuite tout seul votre opération immobilière.

– Enfin, commandant, comment peut-on tenir de tels propos ? Surtout vous. On ne tue pas des gens pour ça. Pour trente gratte-ciel à construire à Chicago dans les années trente, ça pouvait peut-être s'envisager, mais pour un golf en pleine campagne normande, ça n'a pas de sens. Voyons !...

– Le risque paraît effectivement un peu démesuré. Mais je ne fais que rapporter les déclarations de votre ami Auvray.

– Les déclarations d'Auvray... Même pas ! Vous me rapportez ce que ce pauvre Auvray aurait dit à une tierce personne !

– Et mademoiselle Halleur, qu'en pensez-vous, de celle-là ?

– Charmante jeune femme ! Intelligente, distinguée, beaucoup de classe. Si j'avais eu vingt ans de moins, voilà le genre de femme à qui j'aurais aimé faire la cour.

– Et... quelles relations avec elle ?

– Rien non plus. J'ai eu l'occasion de la rencontrer quelquefois chez son père. Elle nous servait l'apéritif ou le thé, passait un petit moment avec nous, mais rien de plus.

– Vous ne l'avez jamais revue depuis la mort de son père ?

– Je l'ai rencontrée une fois, par hasard, dans Rouen; vous savez, je n'ai plus de raisons d'aller du côté de Saint-Pierre.

Bidart se leva et posa les poings sur la table.

– Monsieur Bonneval, il faudrait arrêter de jouer à ce petit jeu !

– Vous vous égarez, commandant…

– Je ne m'égare absolument pas. Vous la jouez très fine et j'admire votre habileté. Mais sachez simplement que je ne vous lâcherai pas.

– Je répète, commandant : vous vous égarez ! Vous pouvez me suivre à la trace vingt-quatre heures sur vingt-quatre pendant une année entière, vous ne me coincerez pas en train de commettre quelque meurtre que ce soit.

– Ça je le sais. Mais peut-être coincerai-je celui – ou celle, n'est-ce pas ? – qui agit pour votre compte.

– Votre obstination vous perdra, commandant.

– C'est aussi votre cas. Car si vous n'êtes pas le criminel, vous êtes peut-être alors le prochain sur sa liste.

– C'est possible.

– Vous ne semblez pourtant éprouver aucune inquiétude. Je me trompe ?

– Dans le cadre d'un interrogatoire comme celui-ci, commandant, je suis tenu de vous révéler des faits, des choses que je sais. Pas des états d'âme. Ce que je pense, ce que je crains ou ce que j'espère ne regarde que moi. Exact ?

– Exact. Mais on ne peut pas dire que vous facilitiez notre tâche.

– Je n'ai jamais facilité la tâche de qui que ce soit en ce bas monde. Ma pauvre mère vous l'aurait dit, et vous auriez même eu droit en prime à quelques heures de plaintes et de jérémiades au sujet du mauvais fils que j'ai été. Je n'ai pas de femme, pas d'enfant, pas de vrais amis, et, du moment que je ne porte pas préjudice à autrui au regard de la loi, je suis libre d'agir et de penser comme bon me semble.

– Certes. Et serait-ce trop vous demander que de répondre à la question que je vous ai déjà posée la semaine dernière ? Qui, selon vous, pourrait avoir eu intérêt à commettre tous ces meurtres ?

– C'est effectivement trop me demander. Et si vous n'avez pas d'autres questions, je solliciterais de votre part l'autorisation

d'aller participer à mon conseil d'administration.

– Bien sûr.

Bidart se leva à son tour et se dirigea vers
la porte.

– Merci en tout cas de nous avoir reçus.
Je pense que nous nous reverrons bientôt.

– Tout le plaisir sera pour vous, commandant.

À peine assis dans la voiture, Morel craqua.

– Putain de nom de Dieu… Mais quel cauchemar, ce mec !

– C'est certain que dans le genre accueil-
lant et sympa on fait mieux.

– Non mais vous vous rendez compte ?
D'un bout à l'autre il s'est foutu de notre
gueule – enfin, de la vôtre surtout, vu que je
n'ai rien dit. Il nous méprise, il nous prend
pour de la merde, il n'écoute que lui. Putain,
mais putain, comment est-ce qu'on peut
faire des mecs pareils ?

– Calmez-vous, Jean, ce n'est pas ainsi que vous avancerez.

– Et vous, vous avancez, devant un type comme ça ?

– Oui.

– Et je peux savoir ?

– Soit il œuvre en tandem avec Caroline Pouffard. Et ça ne m'étonnerait pas. Ils ont quelque chose de commun, tous les deux, et de surcroît de bonnes raisons de s'entendre. Mais je ne vois pas très bien au demeurant le mobile qui pourrait les pousser à commettre de tels meurtres. C'est vrai qu'on ne tue pas trois personnes pour les empêcher de participer à un projet immobilier, même juteux. Ils ont bien d'autres moyens pour les écarter. En plus, ce sont des requins, des ordures, des arrivistes, tout ce que vous voulez, mais pas des malades…

– Soit ?…

– Soit c'est la petite Halleur qui agit en solo.

– Et les autres : Delpire, Lucchini, etc. ?

– Non, pas eux : ils n'en ont pas l'étoffe. Ce n'est pas impossible qu'ils soient mêlés à tout ça, mais en ce cas ce sont de vulgaires pions qui sont manipulés.

– Reste le demi-frère et sa copine.

– Justement. Ceux-là, il faut qu'on leur mette la main dessus au plus vite.

– Et qu'est-ce qu'on fait pour Marchand ?

– On va lui rendre une petite visite. On voit ce qu'il nous sert à boire et ce qu'il veut bien nous raconter et on improvise. Ça vous va ?

– Rien à dire.

Peu de clients fréquentaient Les Années folles avant vingt heures, et, en cette fin d'après-midi, Marchand était tout seul dans son bar, remplissant des coupelles de cacahuètes, essuyant quelques verres, inscrivant sur une ardoise le nom des cocktails du jour.

Il eut l'air presque heureux de voir arriver Bidart.

– Bonsoir, commandant. On commence déjà la tournée des bars...

Il lui adressa un clin d'œil et se tourna vers Morel.

– Bonsoir, jeune homme, vous êtes avec monsieur ?

– Oui, répondit Morel, les poulets, ça sort toujours en couple.

– Qu'est-ce que je vous sers ? Une petite coupe ?

– Volontiers, et pour le petit ça sera un lait-fraise.

Pour une raison qu'il aurait eu du mal à expliquer, Bidart éprouvait progressivement une certaine sympathie à l'égard de Marchand. Le bonhomme n'était certes pas droit comme un « i », loin de là, mais son flair lui disait que ce n'était pas un pourri. Il bossait, tenait bien son petit bouclard, avait de l'humour ; c'était déjà ça.

– Alors, commandant, qu'est-ce qui vous amène aujourd'hui dans ce bel établissement ?

Bidart le regarda droit dans les yeux.

– Marchand, on va se la jouer à la confiance, cartes sur table, d'accord ?

– Pourquoi pas ? Vous voulez que je devienne un indic ? J'en ai toujours rêvé…

– Ça peut s'envisager, mais c'est pas pour ça que je suis là.

– Je vous écoute.

– On a bouclé ce matin Lucchini et la petite Marushka. Elle a tout craché sans faire la difficile et on n'a rien contre elle. Elle sera libre dans une heure. Par contre, Lucchini s'enferme bêtement dans le silence. Marushka nous a dit que vous les connaissiez tous les deux et que vous étiez même allé chez eux, rue Beffroy, alors que Lucchini dit ne pas vous connaître. J'aimerais savoir qui a raison.

– La petite.

– Vous êtes prêt à le confirmer?

– Sans problème.

– Alors pourquoi m'avoir dit le contraire la semaine dernière?

– Je savais que Lucchini était dans le pétrin avec l'affaire Vincenot. Étant donné mes relations avec Michel Halleur, j'ai pensé qu'il n'était pas nécessaire de faire des embrouilles supplémentaires en mélangeant deux affaires qui n'avaient rien à voir.

– Là, vous en dites trop ou pas assez… En quoi Lucchini était-il dans le pétrin avec Vincenot?

– Cette histoire de photos, vous savez bien.

– Oui…

– Lucchini n'a jamais fait de chantage à qui que ce soit.

– Alors pourquoi avoir pris ces photos ?

– Parce que Vincenot ou sa copine Nadia le lui ont demandé.

– Mais pourquoi ?

– Honnêtement, je ne sais pas. Et comme il est trop tard pour le demander à Vincenot, il n'y a plus guère que mademoiselle Delpire qui pourra vous éclairer.

– Encore faudrait-il la trouver.

– Elle a disparu ?

– Apparemment. Officiellement, elle est allée voir sa mère qui est malade. On va vérifier.

– Vous aurez du mal...

– Parce que ?

– Parce que, si j'ai bonne mémoire, elle n'a pas de parents. C'est une fille de l'assistance publique. Elle vous a eus.

– C'est elle qui aurait voulu utiliser ces photos pour faire chanter ?

– Je n'en sais rien, je vous l'ai déjà dit.

– Et vous la croyez capable de...

– D'avoir commis les meurtres ? Je n'en sais rien non plus. Ce que je peux vous dire, c'est qu'à mon avis, c'est une sacrée tordue et qu'elle n'a pas froid aux yeux.

– Qu'est-ce qui vous fait dire ça ?

– Mon instinct. Rien de plus.

– Mais bon dieu, quel intérêt aurait-elle pu avoir eu à saigner tous ces types et parmi eux son propre petit ami ?

– Ça c'est votre problème, commandant. Vous, vous êtes flic. Moi, je tiens un bar pour homos… à chacun son métier et ses soucis !

Marushka confirma que Nadia Delpire n'avait effectivement pas de parents. Elle n'avait pas la moindre idée de l'endroit où elle pouvait avoir filé. Comme promis, Bidart lui rendit sa liberté. Elle avait l'air d'une pauvre chose pitoyable, et il se demanda où elle irait dormir. Mais ce n'était pas son problème. Comme l'avait dit Marchand : « À chacun ses soucis. »

Lucchini resta sur ses positions, à tous égards d'ailleurs, puisque lui passa la nuit dans les locaux de l'hôtel de police.

Tandis que Bidart tapait quelques notes sur son ordinateur, tâche hélas prédominante dans l'emploi du temps professionnel d'un officier de police, Morel consultait sa boîte vocale, espérant y trouver un message d'Alice.

Il y trouva bien un message, mais de Karine, la petite hôtesse de la Sogestrim. Elle lui demandait de la rappeler chez elle car elle avait, disait-elle, une information importante à lui communiquer.

Karine voulait en effet lui expliquer dans quelles circonstances elle avait été virée la veille en l'espace de quelques minutes.

Vers trois heures de l'après-midi, une jeune femme s'était présentée et avait demandé à voir immédiatement Bonneval. Elle disait s'appeler Mathilde Halleur, être une de ses amies et avoir quelque chose de très urgent à lui dire.

Or, le matin même, Bonneval avait donné l'ordre formel de demander à tout visiteur sans exception de confier une pièce d'identité à la réception avant d'être introduit auprès de la personne avec qui il avait rendez-vous.

Karine l'avait donc priée de lui remettre sa carte d'identité, mais la jeune femme avait très mal pris la chose. Et, avant même qu'elle ait pu appeler Bonneval pour lui demander ce qu'elle devait faire, l'autre s'était précipitée dans l'escalier vers le premier étage. Quand, enfin, elle avait eu Bonneval au téléphone, la jeune femme était déjà entrée dans le bureau et Karine s'était simplement entendu répondre : « Foutez-moi la paix, vous, on réglera votre cas tout à l'heure ! »

En raison de l'isolation phonique des murs et de la porte capitonnée, nul n'avait su ce qui s'était dit dans le bureau du président. Mais, quelques minutes plus tard, chacun entendit en revanche la fin d'une violente algarade dans le couloir.

– Tu me le paieras, connard ! hurlait la jeune femme. Toutes les notes se payent un jour ou l'autre.

– Je t'ai assez payé comme ça, petite pute, répondait Bonneval.

La femme descendit l'escalier quatre à quatre, traversa le hall en courant, se précipita vers sa voiture et disparut en trombe.

L'instant d'après, Bonneval arrivait à son tour dans le hall, le visage écarlate et son costume gris perle maculé de noir. La jeune femme lui avait apparemment balancé un flacon d'encre dessus.

Karine voulut s'expliquer, mais Bonneval ne lui en laissa même pas le temps. Il hurlait de rage :

– Vous laissez entrer des assassins dans cette maison alors que je vous ai donné ce matin même des instructions formelles. Vous êtes coupable de complicité et de faute professionnelle grave. Foutez le camp ou j'appelle la police !

– Mais… essaya de rétorquer Karine.

– Foutez le camp immédiatement ou je me charge de vous virer à coups de pied dans le cul ! Vous recevrez votre lettre et votre chèque demain. Allez, dégagez, maintenant !

– Fichtre ! conclut Morel. Eh bien on va essayer de vous trouver du boulot.

– C'est gentil, mais je voulais surtout vous dire autre chose.

– Quoi donc ?

– Plusieurs collègues du bureau m'ont appelée dans la soirée. Et, en parlant avec eux, en particulier avec une des secrétaires du patron, j'ai appris que la femme qui était venue ne s'appelait pas du tout Mathilde Machin. Elle s'appelle en réalité Caroline

Pouffard; j'ai noté son nom parce que j'ai pensé que ça pourrait vous intéresser. Il paraît qu'elle aurait vaguement été sa copine.

– Elle avait un petit diamant dans le nez ?

– Oui.

– Alors c'est bien ça.

Morel passa la tête dans le bureau de Bidart :

– L'étau se resserre, chef.

Il raconta l'entretien qu'il venait d'avoir avec Karine.

– Vous voyez ce que je vous avais dit : il fonctionne encore, mon pif de vieux flic !

Bidart parti, Jean voulut appeler Alice, mais il tomba sur le répondeur, et il en fut de même lorsqu'il essaya de la joindre sur son portable.

Il supposa qu'elle devait se trouver dans le métro ou peut-être au sous-sol d'un grand magasin… mais il était à mille lieues de la réalité, c'était bien le cas de le dire.

Alice était au fin fond de l'Alsace, dans le joli village de Kaysersberg où elle était née vingt-cinq ans auparavant.

Depuis plusieurs jours, elle avait décidé de faire cette escapade solitaire, mais ne l'avait dit à personne, pas même à son libraire – elle lui avait simplement dit qu'elle prenait deux jours de congé.

Elle avait pris gare de l'Est un train du matin jusqu'à Colmar, où elle s'était promenée une heure ou deux pour revoir des endroits qu'elle avait aimés.

Pour ses cinq ans, son père lui avait offert une poupée qui venait d'un petit magasin de jouets blotti dans une étroite ruelle de la vieille ville. La boutique était toujours là. Il y avait aussi une fameuse pâtisserie, tenue, paraît-il, par l'un des hommes les plus intelligents de France, où ils allaient à Noël acheter des bieraweckas, ces gâteaux bruns, lourds à l'excès, faits de toutes sortes de

fruits secs, de fruits confits et d'épices amal-
gamés dans le sucre et la pâte. Rien n'avait
changé. Les bierawecks étaient dans la
vitrine, parmi les kouglofs et quantité
d'autres gourmandises dont les Alsaciens
sont si friands, surtout vers la fin de l'année,
lorsque s'annoncent mille et une fêtes.

Alice entra et choisit le plus petit des bierawecks.

– C'est pour offrir, demanda la vendeuse,
je vous fais un petit paquet ?

– S'il vous plaît…

Elle retourna ensuite vers la gare pour
prendre le bus de Kaysersberg. Une demi-
heure plus tard, elle posait le pied sur ces
pavés luisants sur lesquels elle avait fait
ses premiers pas. Son cœur battait très fort
et, sentant ses yeux se gonfler de larmes,
elle chercha ses lunettes de soleil dans son
sac.

En cette fin d'après-midi, certaines faça-
des de grès rose vermillonnaient par endroits
sous les rayons d'un soleil d'arrière-saison,
tandis que d'autres arboraient, entre leurs
colombages d'ébène, des enduits aux teintes
soutenues sur lesquels se détachaient d'inso-
lents géraniums.

Alice avançait dans ce décor de carte pos-
tale sur lequel se surimprimaient les images
qu'elle était venue chercher.

Elle regarda longuement l'auberge à touristes où son père avait été maître d'hôtel.
Vieille de plus de cinq siècles, la maison
s'était bien gardée de changer depuis vingt
ans. Même si cela risquait de faire mal, c'est
là qu'elle irait dîner ce soir.

Un peu plus loin se trouvait la rue dans
laquelle ses parents occupaient un appartement aux deuxième étage d'une autre vieille
maison. Alice y fit seulement quelques pas
et rebroussa chemin. Peut-être irait-elle la
voir plus tard. Là, dans l'instant, elle ne s'en
sentait pas le courage. Les larmes n'étaient
pas venues, mais elle était en proie à une
oppression qui rendait sa respiration courte,
ses pas incertains par instants. Elle ne
voyait plus les gens dans la rue ; elle n'entendait plus les commentaires de quelques touristes. Elle voyait un homme grand et mince
marchant devant elle, donnant la main à
une petite fille vêtue d'un manteau rouge.
Elle voyait l'homme se pencher et prendre
la petite fille dans ses bras pour qu'elle
puisse voir dans les vitrines. Il lui revenait
de très loin, du fond de sa mémoire, des

notes parfumées de l'after-shave qu'utilisait cet homme. Elle blottissait sa tête sous son menton lui inclinait doucement son visage comme pour l'enfermer et la protéger dans un petit nid tout chaud.

Tout en haut, la rue obliquait sur la gauche vers le pont fortifié qui enjambe les eaux de la Weiss.

Alice retrouva les petits chemins qu'elle avait tant de fois parcourus. Tourisme oblige, ils étaient aujourd'hui soigneusement entretenus. Mais qu'importe, le décor était le même, tout comme les odeurs, les bruits... Elle alla s'asseoir au pied d'un arbre. Martin Scheffer était là, juste à côté. Ils se parlaient. Il lui disait ce qu'il lui avait cent fois dit, ce qu'il avait même griffonné ce terrible soir de sa mort, que tout ça était sans importance, que la vie n'est qu'un passage, bon ou mauvais, que seuls comptent l'amour et l'éternité et qu'ils se retrouveraient un jour dans les espaces infinis de l'univers pour jouer avec les étoiles ; qu'ils seraient enfin ensemble pour toujours.

Alice revoyait pêle-mêle des images de sa vie. Le jour où elle était revenue chez elle avec les résultats du bac. Le remariage de sa mère. Les années de pension. Un goûter d'anniver-

saire chez une amie aujourd'hui disparue,
tuée dans un accident de la route. Son instal-
lation rue de Tournon. Ce jour où le libraire
l'avait attirée sur ses genoux et avait commencé à la caresser. Elle s'était un instant
débattue et puis elle l'avait laissé faire. À
l'encontre de ce qu'avaient imaginé Marianne
et Pierre, elle n'avait jamais été réellement sa
maîtresse ; leurs jeux s'arrêtaient aux limites
d'une tendresse mâtinée d'un soupçon d'éro-
tisme. Ils n'avaient des amants que la complicité. Et puis, aujourd'hui, il y avait Jean. Pourquoi avait-il attendu si longtemps avant de
venir vers elle ? Cela aurait pu changer tant de
choses. Et maintenant, qu'allait-il se passer ?

L'humidité montait de la rivière, et avec
elle la fraîcheur du soir. Novembre arrivait.
Alice se leva et retourna vers le centre du village, où elle avait repéré un petit hôtel. C'est
alors seulement qu'elle trouva le message de
Jean sur son portable. Elle le rappela.
    – Tu étais dans le métro ?

– Non, assise au bord d'une rivière, et le clapotis de l'eau a dû couvrir le bruit de la sonnerie.

– Mais où es-tu ?

– À cinq cents kilomètres de Paris, dans un très joli petit village que j'avais envie de revoir.

Alice réalisa qu'elle aurait mieux fait de mentir, mais c'était trop tard.

– Oui, mais où ?

– C'est un secret ; je te le dirai plus tard.

– Tu es seule ?

– Oui, bien sûr.

– Pourquoi « bien sûr », tu aurais pu partir avec quelqu'un.

– Mais avec qui ?

Jean lâcha lui aussi un mot de trop :

– Avec un libraire de tes amis.

Alice se sentit piquée au vif :

– Tu es jaloux ?

– J'ai peut-être des raisons de l'être.

– Je te jure que je suis toute seule et je te promets de te dire dans quelques jours où j'étais.

– Pourquoi ne pas me le dire maintenant ?

– Tu ne sais pas ce que c'est que d'avoir un jardin secret ?

– Tu as dit quoi : un jardin secret ou un mec secret ? J'ai mal entendu.

– Je te croyais plus intelligent que ça, Jean. Finalement, tu ne vaux pas mieux que les autres.

– Que tes autres amants ?

– C'est ça, oui, que mes autres amants, tous ceux avec qui je vais faire l'amour ce soir.

Elle raccrocha et désactiva la messagerie. Allongée sur le dos, elle regardait le plafond et les chiures de mouches autour de l'applique lumineuse. Des larmes coulaient doucement sur ses joues. Les chiures de mouches devenaient floues. Comment peut-on être aussi con ? se demandait-elle. En l'espace de quelques secondes, pour le plus anodin des malentendus, Jean et elle venaient de tomber du haut d'un précipice et s'étaient écrasés dans la plus infâme médiocrité. Lui qui aurait pu comprendre, écouter, soigner, s'était dressé avec toute la vulgarité d'un petit coq. Décidément...

***

Joseph Stoeckel, le patron de la vieille
auberge, était mort depuis une bonne
dizaine d'années et son fils Pascal était
désormais aux commandes de cette respectable maison. Alice le reconnut tout de
suite. Lui, en revanche, ne fit pas le moindre
rapprochement avec la petite fille qu'il
n'avait jamais revue depuis plus de quinze
ans – d'autant qu'Alice mettait ses lunettes
de soleil chaque fois qu'il apparaissait dans
la salle.

Avec ses boiseries sculptées, ses outils de
vignerons aux murs, son gros poêle en
faïence et ses serveuses en habit traditionnel, l'endroit jouait résolument la carte du
folklore et du terroir. Alice jeta son dévolu
sur un fleischnaka, une sorte de roulade de
viande et de pâte – encore un souvenir
d'enfance –, accompagné d'un pichet de syl-
vaner dont elle pensait qu'il aurait un effet
bénéfique sur ses pensées.

Une fois de plus – et c'était bien pour cela
qu'elle était là – des images venaient en
surimpression. Elle revoyait son père avec
son costume noir, sa chemise blanche, son
nœud papillon, allant de table en table. Mais
elle le revoyait aussi dans la cuisine de
l'appartement, penché sur de grands cahiers

et des plans, refaisant interminablement des comptes avec Marianne.

À l'occasion de vacances chez des amis en Normandie, ils étaient tombés tout à fait par hasard sur le restaurant de la rue de l'Abbé-de-l'Épée, qui était à vendre. L'envie de se mettre à leur compte leur trottait dans la tête depuis des années. Martin était bon cuisinier, Marianne avait le sens de l'accueil et du contact. Ils décidèrent de se jeter à l'eau.

Alice avait dix ans lorsqu'ils ouvrirent Les Compagnons du Tour. Elle aidait parfois sa mère en salle. Les clients lui donnaient une pièce. Les petits plats mijotés de Martin attiraient une clientèle fidèle. C'étaient des jours heureux. Et puis...

Alice s'aperçut qu'elle avait terminé son pichet de vin et en demanda un autre à la serveuse.

Elle pensait maintenant à la rue Victor-Morin, à leur maison en meulière, à sa petite chambre mansardée, à la cuisine qui avait si souvent été le théâtre d'interminables et houleuses conversations avec sa mère.

Elle eut soudain l'impression que Bidart venait d'entrer dans la vieille auberge. Mais

non, ce n'était pas possible. C'était un touriste qui arrivait avec sa femme et demandait deux couverts.

La serveuse lui apporta le dessert, une
tarte flambée aux pommes et aux framboi-
ses.

La chaleur, le brouhaha et surtout le vin
lui tournaient la tête. Elle regarda le petit
verre d'eau-de-vie de framboise qui accom-
pagnait la tarte. Elle n'aurait pas dû. Mais
il y avait la fraîcheur de la rue juste à côté.
Tout irait mieux.

Elle sentit qu'elle avait du mal à se lever
et eut même l'impression que quelqu'un
riait d'elle. Mais qu'importe. Tout cela était
à la fois si proche et si loin. Si important et
si dérisoire.

Elle remonta de nouveau la rue principale
jusqu'au pont fortifié. Elle pleurait, se sentait fragile. Elle repensait à cette stupide
engueulade avec Jean. Tout semblait s'être
effondré en un instant. Elle aurait effectivement aimé que son vieux libraire soit là. Il
lui aurait passé le bras autour du cou et lui
aurait dit des mots gentils; des mots qui
réchauffent, des mots qui peu à peu sèchent
les larmes.

L'eau noire et glaciale de la Weiss coulait à quelques mètres. Et si ?...

Elle regarda le ciel étoilé et murmura intérieurement : « Ce n'est qu'un passage ; seuls comptent l'amour et l'éternité. »

X

Mercredi 30 octobre

Lorsque Bidart arriva dans son bureau, il trouva dans la corbeille du courrier une petite enveloppe de kraft qui lui était destinée. Son premier réflexe fut de regarder le cachet de la poste. Elle avait été déposée à la poste de la gare de Rouen la veille dans l'après-midi. Son nom y avait été imprimé avec une machine à écrire à ruban comme on n'en voit plus depuis longtemps. Bien que mince et légère, l'enveloppe semblait contenir autre chose qu'une feuille de papier. À l'intérieur se trouvait effectivement, non pas une lettre, mais un petit morceau de tulle blanc. Il comprit instantanément et regarda s'il y avait autre chose. Au fond, il découvrit un petit bout de lame de cutter.

Le message était clair : l'assassin allait de nouveau frapper et avait l'audace de prévenir.

Marushka était sortie trop tard pour avoir pu poster la lettre. Elle et Lucchini étaient donc hors de cause.

Restaient tous les autres. Nadia Delpire, qui avait disparu, Caroline Pouffard, qui était venue menacer Bonneval la veille, Mathilde Halleur, qui avait toutes les raisons d'en vouloir à Bonneval et à ses amis, son demi-frère et sa compagne, qu'il devenait urgent d'interroger, ou encore, pourquoi pas, Michel Halleur ou André Marchand. Quant aux futures victimes, la logique n'en désignait guère que deux : Bonneval et Duparc, le notaire de Bonsecours. À moins qu'ils ne fussent eux-mêmes à classer parmi les suspects. Tous ces gens avaient sinon des raisons de s'entre-tuer, du moins des motifs suffisant pour se haïr.

Martine Lorbach entra dans le bureau de Bidart :

– Bonnes nouvelles, chef !

– Hmm, quoi ?

– J'ai une bonne nouvelle, chef : Caroline Pouffard a bien fait des achats chez Catena dans le magasin de Bois-Guillaume, qu'elle a payés par carte bancaire. La cordelette n'apparaît pas sur la facture qu'ils ont retrouvée, mais par contre il y a des lames de cutter...

– Comme celle-ci? demanda Bidart en montrant le morceau d'acier qu'il avait retiré de l'enveloppe et soigneusement glissé dans un petit sachet en plastique.

Il lui raconta ce qu'il venait de recevoir.

– Vous allez faire comparer les empreintes sur l'enveloppe avec toutes celles que nous avons?

– Bien sûr. Mais notre lascar est bien trop malin pour y avoir laissé ses empreintes. Sa seule erreur est d'avoir utilisé une vieille machine à écrire pour taper l'adresse. Si on le pince et qu'on met la main sur la machine, ça sera un élément important. Mais en attendant...

– Qu'est-ce qu'on fait pour les cutters de Caroline Pouffard?

– Vous demanderez la marque chez Catena. Le problème, c'est qu'il y en a plein son magasin : elle et ses élèves en utilisent tout le temps pour faire leurs cartonnages. En attendant, on va déclencher une opération de surveillance rapprochée de Bonneval et Duparc. Dites-le à Morel et rendez-

vous dans cinq minutes dans le bureau de
Talmont. Il est prévenu, il nous attend.

La réunion fut brève. Talmont demanda
aux hommes du roulage de prêter main
forte à l'équipe de la Crim, d'autant que
deux hommes de la brigade étaient en congé
et que deux autres étaient sur une autre
affaire. Quatre véhicules en tout furent mis
à la disposition de Bidart, avec la possibilité
de faire appel à du renfort si nécessaire.

À dix heures, deux voitures stationnaient
sur la place du Boulingrin, non loin de la
sortie du parking de la Sogestrim ; deux
autres se trouvaient tête-bêche devant
l'étude de Bonsecours. Morel, quant à lui,
faisait les cent pas dans la rue Saint-Nicolas
à proximité du magasin Filigrane. Il en profita pour essayer d'appeler une ou deux fois
Alice avec son portable, mais sa messagerie
demeurait hors service.

Vers midi, un traiteur vint stationner
devant la Sogestrim et livra plusieurs conte-
neurs isothermes. Sans doute Bonneval don-
nait-il un déjeuner d'affaires.

Une heure plus tard, à Bonsecours, le gros
4x4 de Duparc jaillit hors du jardin de

l'étude. Les deux voitures le prirent discrètement en chasse.

Le notaire conduisait rapidement, ne tenant aucun compte des lignes blanches et grillant les feux rouges. Brusquement, il tourna sur la droite en direction de la Corniche et alla se garer dans une impasse résidentielle. Il regarda de part et d'autre, comme pour s'assurer qu'il n'était pas suivi, descendit rapidement de sa voiture, un trousseau de clés à la main, et se précipita vers une grande maison plutôt chic.

– Maman a dû préparer un soufflé pour déjeuner et lui a demandé de ne pas perdre de temps, lâcha un des hommes.

– Arrête, répondit l'autre, tu me donnes faim. Quand je pense qu'on va rester ici pendant que l'autre va s'en mettre plein la lampe!

– Et après le soufflé, qu'est-ce que je vous sers? Nous avons aujourd'hui à la carte un excellent dos de saumon et sa garniture de petits légumes...

– Arrête, je te dis!

L'autre arrêta effectivement. Mais pas parce qu'on lui avait demandé de se taire.

Duparc venait de ressortir de chez lui, tenant à la main dans un sachet de feutrine un objet qui avait tout l'air d'un pistolet.

— De Dieu, v'la le notaire qui va à la chasse!

Il démarra de nouveau en trombe, descendit la route de la Corniche jusqu'à Darnétal et prit l'autoroute A28.

– Tiens donc, s'exclama Bidart, il va chasser du côté de Saint-Pierre.

Duparc fila effectivement comme une flèche jusqu'à la sortie indiquant Saint-Pierre-l'Abbaye. Mais au lieu de prendre ensuite la direction du village, il obliqua vers de petites routes de campagne. Remontant vers Bellencombre, il passa devant le moulin et ralentit, cherchant selon toute vraisemblance à voir si des voitures y étaient garées. Un peu plus loin, il tourna sur la droite et emprunta une route forestière, puis, tout d'un coup, s'arrêta sur le bas-côté. La voiture de Bidart passa. L'autre, prévenue par radio, resta en arrière. Dix minutes s'écoulèrent. Duparc restait dans son 4x4. Un des policiers était descendu et, dissimulé dans les fourrés, l'observait avec des jumelles. Le notaire semblait étudier une carte routière. Se sentait-il

suivi ? Soudain, il démarra de nouveau.
Mais après une centaine de mètres sur la
route il tourna à angle droit sur un chemin
forestier et s'enfonça dans les sous-bois.

– Il nous a repérés et cherche à nous
semer. Continuez tout droit, hurla Bidart
dans le micro, il va certainement ressortir
sur la D12. On va essayer de le suivre si la
voiture passe dans ces chemins de merde.
Interpellation immédiate si vous le coincez.

Mais Duparc devait bien connaître la
forêt et, après quelques secondes, disparut
sur des chemins défoncés qu'il eût été vain
d'emprunter avec une voiture normale.

– Demi-tour, direction Saint-Pierre, on va
rattraper la D12 dans l'autre sens.

Deux minutes plus tard, laissant de la
gomme dans tous les virages, ils rega-
gnaient la départementale en lisière de forêt
et s'arrêtaient bien en travers pour empêcher le passage de toute voiture. C'était
oublier ce qu'un bon pilote de 4x4 sait faire
de son engin.

Duparc avait probablement participé à
des stages de conduite tout-terrain. À peine
eut-il aperçu la voiture banalisée qu'il prit
un maximum d'élan, se jeta dans le fossé et
bondit véritablement par-dessus le talus.

Tandis que les policiers faisaient demi-tour
et que l'autre voiture arrivait à leur rencontre, le 4x4 escaladait à toute vitesse un her-
bage pentu et s'enfonçait de nouveau dans
la forêt. Les deux voitures filèrent en direction de Bellencombre pour se trouver sur la
route que Duparc devait chercher à rejoindre.

Mais, malgré une vue dégagée sur le vallon, ils n'aperçurent pas l'ombre d'un 4x4
de l'autre côté. Ils stoppèrent les moteurs
pour écouter. C'était le silence, pas le moindre bruit de moteur.

« Il doit s'être planqué », commençait à
dire un homme, quand, tout d'un coup, les
stridences ininterrompues d'un klaxon
s'échappèrent de la forêt.

– Vite, c'est par là, en haut de la côte.

Le klaxon était bloqué et il ne leur fallut
pas longtemps pour découvrir et comprendre ce qui s'était passé.

Lancé à toute allure sur un étroit chemin,
Duparc avait aperçu trop tard l'énorme
remorque que des bûcherons avaient laissée en travers d'un carrefour, un masto-
donte d'acier à même de transporter des
dizaines de troncs d'arbres à la fois. Des

piles de bois formaient de chaque côté du sentier un véritable couloir. Il avait freiné de toutes ses forces, mais le 4x4 s'était mis à déraper et à pivoter sur lui-même pour venir s'écraser contre la remorque. La tête de Duparc avait heurté de plein fouet l'une des ridelles, éclatant comme un fruit trop mûr. Son corps s'était affaissé sur le volant et maintenait le klaxon enfoncé.

Les policiers découvrirent dans la voiture un Colt chargé, un petit morceau de tulle blanc et une enveloppe de kraft portant son nom et son adresse imprimés à l'aide d'une vieille machine à écrire à ruban.

Lui aussi avait reçu l'avertissement. Sans doute devait-il soupçonner Michel Halleur ou sa sœur d'en être les auteurs et venait-il rôder autour du moulin. Pour une explication ? Pour les descendre ? Que savait-il au juste ?

– On va peut-être appeler nos collègues de la gendarmerie, lança Bidart en rebroussant chemin, on n'est pas vraiment sur notre territoire…

Tandis qu'il redescendait vers les voitures avec deux hommes, une vieille Ford beige

arrivait par la petite route du vallon. Le lieutenant Malherbe, un des hommes de la brigade du roulage qui était resté auprès des
voitures, avait sorti un gyrophare et l'avait
mis en action. Le conducteur de la vieille
Ford l'aperçut de loin et, au risque de glisser
sur le bas-côté, fit un rapide demi-tour et
repartit d'où il arrivait. La manœuvre attira
l'attention du policier, habitué à courser les
voleurs de voitures. D'un rapide coup d'œil
dans ses jumelles, il releva le numéro de la
plaque minéralogique, observa que la voiture était conduite par une femme et qu'il
y avait un passager à côté d'elle.

— Encore un poivrot qui a eu peur de
l'alcootest, commenta Bidart.

— Ça m'étonnerait, répondit Malherbe,
c'était une femme qui n'avait visiblement
pas envie d'avoir affaire à nous. Vu la caisse,
ce n'était certainement pas une voiture
volée, mais j'ai relevé le numéro.

— Bien joué. Appelez tout de suite pour
avoir l'identité du propriétaire. Pendant ce
temps-là, je contacte les gendarmes pour
qu'ils viennent ramasser les débris du
notaire. Restez ici jusqu'à leur arrivée.
Quant à moi, je file au moulin voir qui s'y

trouve. Vous me prévenez dès que tout est en ordre.

Bidart ne trouva au moulin que la petite Fabienne en train de faire du repassage, tandis que son père ratissait les allées.

Michel Halleur était parti à l'heure du déjeuner en compagnie de Mathilde, qui, fait assez rare, était venue à Saint-Pierre. Elle était arrivée la veille au soir, car ils avaient apparemment un rendez-vous important dans la matinée. Mais personne n'était venu et, las d'attendre, ils avaient filé à Rouen. Michel comptait aller à Paris et avait prévenu qu'il ne serait certainement pas de retour avant le lendemain soir.

Bidart se promena un instant dans le jardin. L'endroit était paisible à souhait. S'approchant de la cascade, il aperçut deux truites jouant dans l'eau. Un peu plus loin, la rivière serpentait parmi les herbages, traversait l'étang, le fameux étang dans lequel on avait retrouvé des siècles auparavant le corps de la Dame blanche.

Mais qui donc était l'homme ou la femme qui s'était identifié à cette créature de légende?

Bidart s'apprêtait à enjamber la clôture pour faire quelques pas en direction de l'étang quand son portable se mit à vibrer. C'était Morel.

– Je viens au rapport, chef.

– Du nouveau?

– Vous allez être étonné : savez-vous qui Bonneval est allé retrouver dans un bar en face de la gare? Je vous le donne en mille!

– J'ai pas vraiment le temps de jouer aux devinettes...

– Michel et Mathilde Halleur!

– De Dieu! Et alors?

– Brève entrevue. Apparemment les Halleur avaient quelque chose à lui proposer. Mais celui-ci n'était pas intéressé. Il s'est levé sans même prendre le temps de boire son café et il est parti en les traitant de bricolos.

– Bricolos?

– C'est le seul mot qu'il a prononcé à haute voix!

– Et après?

– Il est reparti à son bureau. Mathilde Halleur a filé avec sa voiture et Michel Halleur a pris le train de Paris de seize heures huit. Un de nos hommes l'a suivi.

– Pourquoi pas... Et la petite Pouffard?

– Lorbach et un gars du roulage m'ont remplacé en début d'après-midi. RAS pour l'instant. Elle n'est pas sortie de son magasin, sauf pour aller à la boulangerie du coin. Qu'est-ce qu'on fait pour Bonneval?

– Vous ne le lâchez pas d'une semelle. Duparc vient de se tuer dans un accident de voiture; je vous raconterai. Je serai à Rouen dans une heure.

– Euh... Dites-moi, chef...

– Oui?

– Est-ce que vous pensez que je pourrais quitter vers dix-neuf heures? J'aurais voulu aller à Paris ce soir.

– Sauf incident majeur et à condition qu'on ait du personnel pour surveiller Bonneval, ça devrait pouvoir se faire...

Bidart appela Talmont pour le prévenir de l'accident de Duparc.

– Il ne manquait plus que ça! D'ici à ce qu'on parle de bavure...

– Bavure? Vous y allez un peu fort!

– Vous prenez un type en chasse ; vous lui faites peur et il va s'écraser contre un arbre. Comment vous appelez ça, vous ?

– On ne l'a absolument pas pris en chasse et vous le savez très bien. Un type qui passe chez lui prendre une arme et qui repart en trombe n'est a priori pas très net. On ne pouvait pas savoir qu'il avait, lui aussi, reçu une menace.

– J'espère que les gendarmes ne déformeront pas votre version des faits.

– Connard, murmura Bidart après avoir raccroché.

*
**

De la voiture, Bidart rappela le lieutenant Malherbe. Les gendarmes étaient déjà sur place. Il avait aussi eu le renseignement demandé au sujet de la vieille Ford. Elle appartenait à un certain William Caille-botte, domicilié à Fécamp.

– Caillebotte ? Mais c'est le nom de la petite amie de Frédéric Halleur. Intéres-

sant, ça ! Je passe prendre les deux hommes
qui étaient avec moi et on rentre sur Rouen.
À tout de suite.

– Bien reçu, chef.

Bidart appela sur-le-champ le commissaire divisionnaire Lebouleux, qui était à la
tête du SRPJ de Rouen. L'accueil fut mitigé,
mais somme toute cordial. Il s'engagea à
contacter immédiatement l'antenne du
Havre pour dépêcher des hommes auprès
du sieur Caillebotte et tenter de mettre la
main sur Frédo Halleur et sur sa compagne
afin de leur poser quelques questions.

Vers vingt heures, ce mercredi, chacun
était à sa place. Une voiture stationnait
devant la maison de Bonneval. Une autre
avait discrètement suivi Caroline Pouffard
jusqu'à son domicile et stationnait en bas
de chez elle.

Les hommes de l'antenne havraise du
SRPJ s'étaient rendus chez le dénommé

William Caillebotte ; il s'agissait bien du
frère d'Anaïs, à qui il avait prêté sa voiture.
Il avait souvent entendu parler du moulin,
mais ne savait absolument pas que sa sœur
avait eu l'intention d'y aller ce jour-là. Frédo
et elle devaient lui rapporter la voiture le
lendemain dans la matinée. Il ne pouvait
rien dire de plus, sinon donner l'adresse du
mobile home où ils habitaient, à quelques
kilomètres de là, à la sortie d'Yport. Les
hommes du SRPJ s'y rendirent évidemment, mais ne trouvèrent personne. La
porte n'était même pas fermée à clé et le
fourneau dégageait encore un peu de chaleur – ils ne devaient pas être bien loin. Les
policiers s'installèrent dans les parages
pour guetter leur retour.

Bidart, quant à lui, n'était rentré rue
Victor-Morin que vers neuf heures, le temps
de consigner les faits majeurs de cette journée sur son PC.

À peu près à la même heure, Morel tournait autour du jardin du Luxembourg à la
recherche d'une place pour la voiture qu'un
ami lui avait prêtée pour la soirée. Finalement, il vint se garer rue de Tournon en
double file et descendit sonner à la porte de

l'immeuble d'Alice. Personne. Il appela au
téléphone et tomba une fois encore sur le
répondeur. La messagerie du portable
demeura quant à elle silencieuse comme
elle l'était depuis la veille. Où était-elle
réellement? Qu'avait-il dit de si grave?
Quelques mots de jalousie qui, au fond,
n'étaient qu'une preuve de son amour.

Il releva le col de son blouson et posa sa
tête contre l'appuie-tête. Il attendrait jusqu'à
l'aube s'il le fallait, mais il voulait savoir.

Vers dix heures, une pie de service qui se
dégourdissait les jambes s'approcha de la
voiture et lui demanda de circuler.

Jean présenta sa carte :

– J'suis de la maison, collègue !

– En service ?

– Plus ou moins.

– En tout cas, ne laissez pas le véhicule là
si vous en sortez; on embarque tout ici.

Il était près de onze heures et demie
lorsqu'une petite Fiat vint se garer juste

devant. C'était un homme qui raccompagnait Alice, un homme d'un certain âge, le
libraire évidemment.

Ils parlèrent quelques instants, puis Alice
s'inclina vers lui, non pour l'embrasser mais
pour se blottir contre son épaule. Il lui
caressa les cheveux, puis elle se redressa,
l'embrassa sur la joue et ouvrit sa portière.

Tandis qu'elle se penchait à l'arrière pour
attraper son sac, elle aperçut Jean. Elle
adressa un petit signe au libraire, referma
la portière et se dirigea vers son immeuble.
Une fois encore, elle regarda en direction
de Jean. Cette fois-ci, il ne pouvait pas y
avoir le moindre doute, elle l'avait bien vu.
Lui ne bougea pas. C'était à elle de décider.

Elle composa le code sur le clavier de la
porte et entra dans l'immeuble. Jean resta
immobile. Deux ou trois minutes s'écoulèrent. La minuterie de la cage d'escalier
s'éteignit. Au même instant, le portable de
Jean émit une stridente mélodie.

– Tu montes ?
– Descends, plutôt, on va aller marcher.
– Je suis fatiguée.
– Juste dix minutes et puis on revient chez
toi.

La lumière se ralluma dans la cage d'escalier et Alice apparut, emmitouflée dans un gros pull. Elle monta à côté de Jean et il démarra immédiatement.

– Alors? demanda-t-elle.
– Alors et toi? répondit-il.
– Rien, pourquoi?

Ils avançaient au milieu des phares et des lumières du boulevard Saint-Germain sans rien voir autour d'eux. Jean regardait fixement devant lui. Alice était ailleurs. Le courant ne passait pas. C'était l'obscurité.

Un automobiliste quittait sa place à l'angle de la rue du Cardinal-Lemoine et Jean s'y gara.

– Viens, on va marcher un peu sur les quais.

Alice avançait à côté de Jean, le regard perdu dans un lointain intérieur. Jean essayait de démêler les sentiments les plus contradictoires qui l'animaient dans l'instant. Quelque chose de grave s'était produit, mais quoi? Voulait-elle mettre un terme à leur relation naissante? Avait-elle appris une mauvaise nouvelle? Son libraire lui avait-il fait une scène épouvantable ? Avait-elle rencontré quelqu'un d'autre ?

– C'est idiot, tout ça, tu ne trouves pas ?

– Beaucoup plus idiot même que tu ne peux l'imaginer.

– Explique.

– Il n'y a rien à expliquer.

– C'est à cause de ce que je t'ai dit hier au téléphone ?

– Oui et non.

– Comment ça, oui et non ?

– Oui, c'est à cause de ce que tu m'as dit au téléphone. Non, ce n'est pas qu'à cause de ça.

– J'ai du mal à comprendre.

– Tu ne peux pas comprendre.

– Mais où étais-tu hier, quand je t'ai appelée ?

– Dans un petit village, comme je te l'ai dit, à cinq cents kilomètres d'ici.

– Tu étais seule ?

– Non, j'étais avec des souvenirs.

– Mais parle-moi en français. Tu vois bien que je ne comprends rien.

– J'étais en Alsace, dans le village où je suis née. Je voulais le revoir, retrouver des images de mon enfance, de mon père. Tu peux comprendre ça ?

– Pourquoi tu ne me l'as pas dit ?

– Mais si, je te l'ai dit, j'étais dans mon jardin secret. Seulement toi, tu arrives avec tes gros sabots de flic, tu essayes d'enjamber les clôtures. Tu crois que parce qu'on a fait l'amour, tu as le droit de tout savoir, de tout voir, de me soupçonner… Tu n'es pas mieux que les autres !

– Peut-être que ton libraire, lui, est mieux que les autres.

– Tu vois bien que tu ne comprends rien.

– Je ne comprends peut-être pas, mais en tout cas je vois.

– Tu vois quoi ? Que je suis partie deux jours sans te donner mon emploi du temps et mon itinéraire. Tu vois que j'ai posé ma tête sur l'épaule d'un vieux monsieur qui est quelqu'un d'important pour moi, qui m'a beaucoup aidée, pour qui j'ai une immense tendresse. Et toi, tu penses tout de suite à des histoires de plumard. Tu te dis que tu as la preuve que je suis sa maîtresse ; que je dois me taper tous les mecs que je rencontre… J'ai froid, Jean, j'ai envie de rentrer me coucher.

Elle s'accouda au parapet pour regarder le chevet de Notre-Dame. Un vieux yacht transformé en restaurant remontait la

Seine et s'immobilisa à leurs pieds pour laisser aux passagers le temps d'admirer la vue. Debout à l'arrière, trois hommes parlaient à voix haute d'une histoire de brochure et de photos qu'il faudrait refaire. L'écho de leur voix résonnait contre les quais. À côté d'eux, des femmes riaient. Le pilote donna quelques tours aux moteurs et le bateau s'éloigna.

Alice s'écarta du parapet.

— Viens, Jean, on y va.

— C'est fini entre nous, tu ne veux plus de moi ?

— C'est un coup de tempête, c'est tout. Ça va se calmer. Il faut me laisser le temps. Tu sais, je traverse un moment difficile. Comme disait mon père, ce n'est qu'un passage ; seuls comptent...

— Qu'est-ce qu'il disait, ton père ?

— Rien...

Rue de Tournon, Jean n'osa pas demander s'il pouvait monter. L'atmosphère était lourde, trop pesante pour que les choses puissent s'arranger sur un oreiller. Au contraire, elles ne pouvaient que s'aggraver. De plus, Bidart lui avait demandé d'être présent aux aurores le lendemain, ce n'était pas le moment de risquer une nuit sans sommeil, et encore moins d'arriver en retard. À Rouen aussi, la tension montait. Il fallait en finir. Et vite.

– Tu te souviens de ma proposition d'aller à Honfleur, ce week-end ?

– Écoute, je viens demain après-midi à Rouen voir maman. Je t'appellerai.

Jean n'insista pas. Durant tout le trajet du retour, il pensa à Alice. Que s'était-il passé ? En marge même de ce qu'elle disait, son comportement traduisait une espèce de profond malaise pour ne pas dire mal-être. Plus que fâchée, elle était absente.

Jean repensait aux propos que lui avait un jour tenus Bidart lorsqu'ils revenaient de Dieppe. « Alice, lui avait-il dit, est quelqu'un d'imprévisible. Elle est charmante, souriante, tout a l'air d'aller bien. Mais dans le même temps se prépare au fond d'elle un orage. Elle se dédouble. Il y a deux Alice en elle, l'eau et le feu, le ciel et l'enfer... »

XI

Jeudi 31 octobre

Parvenu au terme de sa garde à vue, Luc-chini sortait des locaux de la police au moment même où Frédo Halleur et Anaïs Caillebotte y arrivaient.

Les hommes du SRPJ les avaient cueillis vers sept heures du matin alors qu'ils passaient prendre un café dans leur mobile home avant de rapporter la voiture au frère d'Anaïs.

L'alcool, la nuit blanche et quelques pétards les avaient fatigués, et l'intervention des policiers, autoritaire sinon musclée, déclencha un tonnerre de protestations et d'insultes. Ramenés sous bonne escorte jusqu'à Rouen pour y être entendus, ils s'étaient enfin assoupis en attendant l'arrivée de Bidart.

Frédo n'avait que quarante ans mais en paraissait bien dix de plus. Les traits usés, les dents rares et jaunes, les cheveux sales et en bataille et quelques cicatrices lui donnaient un air de clochard que complétait une tenue vestimentaire pour le moins éculée. Anaïs, en revanche, affichait sans équivoque ses vingt-cinq ans et détonnait à côté du bougre dont elle semblait être la fille. Mince, presque frêle, le teint mat, elle avait un peu les mêmes yeux clairs en amande qu'Alice.

Bidart s'excusa pour le caractère particulier de cet entretien et voulut, comme il savait si bien le faire, jouer la carte de la sympathie et de la franchise.

La tactique se révéla bonne face à ces deux personnages qui n'avaient somme toute rien à se reprocher, sinon d'avoir fait brusquement demi-tour la veille en apercevant une voiture de police.

Anaïs expliqua tout, en long et en large, tandis que Frédo, dont la tête dodelinait, émettait de temps à autre un grommellement d'approbation.

Elle confirma tout ce que le policier savait déjà sur l'enfance de Frédo, sa révolte et ses relations tendues avec son père d'abord, puis avec Michel et Mathilde.

Mais, à l'encontre de ce qu'il avait pensé, les rapports semblaient moins crispés entre eux. Dans la bouche d'Anaïs les choses paraissaient même beaucoup plus simples.

Un promoteur, le fameux Bonneval, avait effectivement fait des propositions à Guillaume Halleur pour lui racheter le moulin. Ce dernier avait demandé à chacun de ses enfants ce qu'il en pensait. Frédo, sur les conseils d'Anaïs, n'avait pas été hostile à la vente. Michel ne s'y était pas non plus opposé, d'autant que son père se proposait de partager le fruit de la transaction avec ses enfants, permettant ainsi à chacun de réaliser un projet lui tenant à cœur. Mais c'était à cause de Mathilde que la vente ne s'était pas faite. Enfant chérie de son père, elle était parvenue à le convaincre de ne pas céder, mettant en avant l'attachement profond qu'elle avait pour cette propriété. Et les choses en étaient restées là.

Selon Anaïs, Guillaume Halleur ne s'était pas du tout suicidé en raison du prétendu harcèlement dont on disait qu'il avait fait l'objet, mais simplement parce qu'il était profondément dépressif depuis des années et qu'il avait un jour craqué. Il ne fallait pas chercher plus loin.

Depuis sa mort, Bonneval était revenu à la charge, et, finalement, Frédo, Michel et Mathilde avaient trouvé un terrain d'entente. Si Bonneval était intéressé, ils acceptaient de lui vendre tous les terrains, mais conserveraient le moulin, qui, dans le cadre de l'importante succession en cours, serait revenu à Mathilde. Michel avait un projet d'hôtel dans les environs de Saint-Pierre. Frédo, quant à lui, empocherait son dû – il avait avec Anaïs des projets qu'ils ne souhaitaient par révéler.

Quant à leur présence hier à proximité du moulin, elle était on ne peut plus facile à expliquer. Frédo devait venir en fin de matinée retrouver Mathilde et Michel pour apposer sa signature sur un document qu'ils souhaitaient présenter à Bonneval.

Manque de chance, la vieille Ford était tombée en panne sur la nationale. Il avait fallu faire du stop, trouver un garage et remplacer une durite. Et lorsqu'ils étaient enfin arrivés à proximité du moulin, ils avaient pris peur en voyant ces voitures de police banalisées au milieu de la route. Ayant eu vent, comme tout un chacun, de ces meurtres perpétrés sur des proches de Bonneval avec, en toile de fond, cette stupide histoire de Dame blanche, ils s'étaient soudain demandés s'ils n'allaient pas tomber dans quelque traquenard et avaient préféré rebrousser chemin.

Vers onze heures du matin, après être revenu plusieurs fois sur certains aspects particuliers de toute cette affaire et après avoir même obtenu l'emploi du temps de Frédo et d'Anaïs les jours des crimes, Bidart considéra qu'il n'avait plus de raison de poursuivre cette audition et leur rendit leur liberté.

Alors qu'il s'apprêtait à proposer un café à Morel, il entendit le téléphone sonner dans son bureau.

C'était Nadia Delpire. La voix était froide et trahissait un soupçon d'inquiétude.

– Commandant, il faudrait que je puisse vous parler assez rapidement.

– Je vous écoute.

– Non, ce que j'ai à vous révéler ne peut se dire en deux minutes au téléphone. Je peux passer vous voir ?

– Quand voulez-vous ?

– Il est onze heures et quart. Je peux être
là dans une petite heure.

– Très bien, je vous attends.

Il appela aussitôt Marianne pour lui
annoncer qu'il ne rentrerait pas déjeuner.

– Tu fais ce que tu veux, je m'en fiche pas
mal.

Stupéfié par le ton de cette réponse, il se
demanda si quelque malheur était arrivé.

– Pourquoi tu me dis ça comme ça, chaton, il y a un problème ?

– Non, non, tout va très bien.

– Mais non, tout ne va pas bien, je m'en
rends bien compte à ta voix ; qu'est-ce qui
se passe ?

– Rien. Va déjeuner où tu veux et avec qui
tu veux ; je t'ai dit que je m'en fichais pas
mal !

– Mais chaton, je dois seulement voir
l'espèce de pouffiasse qui vivait avec Vincenot. Elle vient de m'appeler, elle veut venir
d'urgence ; je crois qu'elle va cracher le morceau...

– C'est ça, reste avec tes pouffiasses !

– Mais tu ne vas vraiment pas bien. Tu
veux qu'on sorte ce soir, qu'on aille dîner au
restaurant ?

– C'est gentil, mais Alice m'a téléphoné.
Elle va certainement venir cet après-midi et
nous allons mettre des fleurs sur la tombe
de Martin.

– Le jour des morts, c'est après-demain…

– Je sais, mais elle m'a dit qu'elle ne serait
peut-être pas là. Bon, allez, bon déjeuner
avec ta pouffiasse.

Elle raccrocha.

À la seconde même où Bidart reposa lui
aussi le combiné, il éprouva comme une
petite pression sur le cœur et, simultané-
ment, un léger picotement sur la nuque et
sur le lobe des oreilles.

– Putain de putain de merde, lâcha-t-il. Il
ne manquait plus que ça.

Il fouilla rapidement dans chacune des
poches de sa veste, mais savait très bien qu'il
n'y trouverait pas ce qu'il cherchait.

Assise dans le salon à côté du téléphone,
Marianne retournait pour la cinquantième
fois la petite carte rose fluo qu'elle avait
trouvée dans la veste que Bidart portait
lundi et relisait, une fois encore, ces quelques mots de la main d'Annette : « Au seul

homme que j'ai aimé dans ma vie. Peut-être qu'un jour... »

Bidart, lui, écrivait nerveusement sur une feuille de papier « Il ne manquait plus que ça », puis il froissa la feuille et la jeta dans la corbeille.

Chaque chose en son temps, pensa-t-il. Il appela les deux hommes qui surveillaient la rue Saint-Nicolas.

– RAS, chef. Votre cliente est arrivée à neuf heures, suivie de près par cinq femmes à qui elle doit être en train de donner un cours. Tout ce petit monde est à l'étage. On vous appelle immédiatement s'il y a quelque chose à signaler.

Il appela ensuite la voiture stationnée à proximité de la Sogestrim.

– Bonneval est arrivé à neuf heures quinze. Il est descendu directement au parking. Rien à signaler à part le va-et-vient des collaborateurs.

Aucun des policiers n'avait prêté attention à cette jeune femme qui, vers onze heures, s'était approchée des poubelles d'un pas assuré, avait jeté un coup d'œil à l'intérieur pour vérifier qu'elles étaient vides, puis les avait descendues par la rampe d'accès au parking. Quoi de plus normal après tout que de rentrer des poubelles une fois les éboueurs passés ?

Après avoir exploré les différents recoins du parking, elle avait repéré un petit renfoncement, juste à côté du local technique. Personne ne pouvait la voir, à moins de faire une ronde.

Elle sortit de son sac une bombe de gaz et un tout petit pistolet, un Baby Colt chromé, calibre 6,35, à la crosse nacrée. Elle s'assura de la présence des sept cartouches dans le chargeur, puis s'adossa au mur et attendit patiemment.

Vers midi moins le quart, un homme sortit de l'ascenseur et se dirigea vers une Peugeot dans laquelle il prit place et démarra.

La minuterie s'éteignit. Quelqu'un dans les étages appela l'ascenseur.

De nouveau, à midi, une autre personne, une femme cette fois-ci, descendit au parking et partit au volant d'une Fiat. Il ne restait plus qu'une grosse Mercedes.

Il était presque une heure lorsque, pour la troisième fois, les portes de l'ascenseur s'ouvrirent dans le parking.

L'imposante silhouette de Bonneval projeta un instant son ombre sur le sol. Il aperçut les poubelles sans doute rangées à un endroit inhabituel et marmonna quelques insultes d'où il ressortait que le préposé aux ordures était de toute évidence originaire du Maghreb.

Tout en s'avançant vers sa voiture, il cliqua sur la télécommande d'ouverture des portières. Derrière, légère comme une ombre, une silhouette s'approcha de lui.

Bonneval aperçut quelque chose dans un reflet du pare-chocs chromé et se retourna brusquement :

– Qu'est-ce que vous foutez là, vous ?

La jeune femme sortit son arme.

– Arrêtez vos conneries ! Donnez-moi ça.

– Ne bougez pas, montez dans votre voiture.

– Qu'est-ce que vous voulez ?

– Vous le savez très bien, nous sommes en compte.

– Je ne sais rien, donnez-moi ce joujou, c'est pas fait pour les gamines.

– Montez dans votre voiture ou je tire.

Bonneval n'écouta pas et, au lieu de s'exécuter, s'avança d'un pas lent et déterminé vers la jeune femme, tendant une main pour attraper l'arme et approchant l'autre de son veston, comme pour y prendre quelque chose. Elle bondit en arrière, leva le poing et appuya sur la détente. La balle atteignit Bonneval dans l'œil gauche. Il poussa un cri, porta la main à son visage, commença à chanceler, mais parvint à se retourner et fit trois pas incertains en direction de la voiture. Une deuxième fois elle appuya sur la détente. La balle atteignit cette fois-ci la nuque. Le corps tout entier de Bonneval se raidit ; il fit un dernier pas et s'effondra de tout son poids le long de sa Mercedes.

La jeune femme s'approcha de lui. Il ne respirait déjà plus.

– Voilà, ordure, nos comptes sont en ordre… depuis le temps.

Elle ramassa les clés, monta dans la grosse berline et la manœuvra de façon a bien dissimuler le corps. En braquant les roues, elle eut l'impression qu'elle passait sur un de ses membres et que des os se brisaient.

Elle se dirigea alors tranquillement vers l'ascenseur et appuya sur le bouton du premier étage. Une employée la vit sortir.

– Vous cherchez quelqu'un ? demanda-
t-elle.

– Ah, j'ai dû me tromper d'étage, répondit
calmement la jeune femme.

Elle redescendit au rez-de-chaussée par
l'escalier. D'autres employés s'apprêtaient à
sortir. Elle se mêla au groupe et s'éloigna
avec eux en direction de la station du métro-
bus. Aucun des trois policiers ne lui prêta
la moindre attention.

Nadia Delpire avait laissé son masque de
côté. L'arrogance qu'elle avait montrée lors
de sa précédente visite était bien loin. Ce
n'était plus la compagne du grand avocat ni
l'amie intime du bâtonnier Isambart que
Bidart avait devant lui, mais une jeune
femme inquiète qui perdait pied.

– Est-ce que je peux vous parler en toute
confiance, commandant ?

– Ça me paraît être la façon la plus simple
d'avancer.

– Vous m'en voulez, n'est-ce pas ?

– Oh, vous savez, un officier de police essaye d'avoir le moins d'états d'âme possible. On en a suffisamment comme tout le monde dans la vie privée. Alors, je vous écoute.

– Ce n'est pas facile…

– Vous voulez un mauvais café pour vous donner des forces?

– Pourquoi pas?

Tandis que Bidart écoutait le cliquetis des jetons descendre dans le distributeur, il pensait en lui-même à toutes les confidences qu'il avait obtenues avec quelques gobelets de cet infâme breuvage distillé par cette machine. Un café, même mauvais, même servi ailleurs que sur le zinc, est une invitation à deviser.

– Voilà, reprit Nadia, il faut que je vous parle de ces fameuses photos.

– Les œuvres de votre ami Lucchini.

– Oui. Vous savez, Pierre-Ange n'est pas entré dans l'appartement avec mes clés pour prendre toutes ces photos et faire ensuite du chantage. La vérité…

– La vérité?

– C'est Michel qui les lui a commandées et qui lui a donné ses propres clés pour qu'il puisse entrer discrètement par la cuisine.

– Soit. Et pourquoi aurait-il fait cela ?

– Le projet immobilier du golf était un énorme chantier. Vous ne pouvez pas savoir tous les développements qu'il y avait derrière et l'argent qu'il y avait à gagner.

– J'imagine…

– Michel a très bien compris que Bonneval cherchait à l'évincer et qu'il avait le plein appui de Pouffard, le député.

– Et alors ?

– Vous vous rappelez, vous m'avez demandé qui était le quatrième homme sur une des photos que vous m'avez montrées.

– Exact.

– C'était Pouffard.

– Compromettant, pour un élu !

– Vous n'avez d'ailleurs que quelques-unes des photos. Il y en a de bien meilleures sur lesquelles on peut voir non seulement Pouffard, mais aussi Bonneval.

– Et pourquoi venez-vous me raconter tout ça ?

– Parce que cette affaire a pris des proportions démesurées. Pouffard est un homme puissant, Bonneval aussi. Ils ont tout intérêt à laisser supposer que tout ça n'est qu'une histoire de chantage montée par Lucchini et par moi, et à nous faire

porter le chapeau. Vous-même, commandant, soyez honnête : vous nous avez soup-
çonnés d'être les auteurs d'un chantage ?

– Exact.

– Mais nous n'avons été que des pantins
dans tout cela ! Vous comprenez ?

– Je comprends. Mais vous aussi, vous
devez comprendre.

– Quoi donc ?

– Nous avons dans cette histoire trois
morts sur les bras, sans compter Duparc. Il
y a forcément un coupable... Alors, qui ?

– Vous voulez vraiment mon avis ?

– Ça va de soi.

– Caroline Pouffard.

– Explications ?

– Elle est la maîtresse de Bonneval et elle
est en cheville avec son propre père, car ils
ont, elle et lui, tout à gagner. Ce sont des
arrivistes, ces gens-là, vous savez. L'argent,
ils n'en ont jamais assez. Et puis, entre nous,
son père et Bonneval ont les moyens de la
couvrir. Regardez le prétendu suicide de
Halleur... C'est passé auprès des gendarmes
comme une lettre à la poste !

– Vous voulez dire que Halleur aurait
plutôt «été suicidé» et que les gendarmes

se seraient montrés complaisants sous l'influence de Pouffard?

– À votre avis?

– À mon avis, là, vous allez un peu loin. Je dirai même que cela me semble totalement impossible. Que Pouffard soit bien placé pour leur dissimuler quelque chose est en revanche plus vraisemblable.

– Que dois-je faire?

– Rien, sinon me confirmer tout ce que vous venez de me dire dans le cadre d'une déposition en bonne et due forme.

Alice arriva rue Victor-Morin vers trois heures. Elle sentit tout de suite que sa mère n'allait pas bien. Marianne eut beau s'en défendre, elle ne cessa de la questionner. En vain.

– Viens, on va aller mettre des fleurs sur la tombe de papa.

– Tu m'as dit que tu partais en week-end…

– Peut-être que oui, peut-être que non…

– Tu as quelqu'un dans ta vie?

– Peut-être que oui, peut-être que non…
– Tu ne peux pas répondre autre chose ?
– Peut-être.
Alice prit les clés de la voiture de Marianne.
– C'est moi qui conduis.

Martin avait été enterré dans le cimetière de Préaux, un bourg à quelques kilomètres de Rouen qu'il affectionnait, dans lequel il aurait aimé avoir une maison.

Les deux femmes s'arrêtèrent à Darnétal pour acheter des fleurs. Elles choisirent comme chaque année des pots de petites marguerites jaunes et ocre qu'elles trouvaient plus gaies que les traditionnels chrysanthèmes.

Après avoir nettoyé la tombe et disposé les fleurs, respectant un rituel instauré depuis des années, elles s'assirent sur une pierre voisine pour s'installer quelques minutes dans le silence.

L'arrière-saison n'en finissait plus de s'enivrer de soleil et toute la campagne alentour n'était que tons mordorés. Alice écoutait au fond d'elle-même le souvenir du clapotis de l'eau entendu l'avant-veille à Kaysersberg sur les rives de la Weiss.

Elle s'apprêtait à raconter à sa mère qu'elle était partie deux jours en Alsace, mais elle s'aperçut qu'elle pleurait tout doucement. Elle s'approcha d'elle et lui prit la main.

– Qu'est-ce qui ne va pas ? Tu dois me le dire.

– Des bêtises.

– Des bêtises graves ?

– Même pas. De ces petits riens qu'on n'attend pas et qui font mal.

Marianne raconta l'incident de la carte de visite d'Annette Leplantier qu'elle avait trouvée en vidant les poches de la veste de Pierre pour la suspendre dans l'armoire.

– Tu vois, dit-elle, ce n'est pas grand-chose, mais ça fait mal de savoir qu'il y a quelqu'un d'autre qui empiète sur ce que l'on croit être uniquement à soi.

– Tu crois qu'il a toujours une liaison avec elle ?

– Je ne sais pas. Et je ne veux pas savoir.

Comme ces chiens qui sentent l'orage venir et qui vont se cacher ou qui s'inquiètent bien avant que leur maître ait entendu le plus infime coup de tonnerre à l'horizon, Alice percevait un très lointain grondement au fond de sa poitrine. Cela ne ressemblait encore qu'au bruit d'une respiration qui s'intensifie. Elle éprouva un léger frisson dans le dos, juste au-dessous des épaules.

– Tu as froid? demanda Marianne.

– Non, pas du tout.

– Tu es triste?

– Un peu.

– Je n'aurais pas dû te parler de ça…

– Si, au contraire, j'ai besoin de tout savoir, ça me fait du bien.

Elle regardait fixement la tombe, le nom de Martin Scheffer gravé dans la pierre. Un petit scarabée avançait avec difficulté sur une plaque de mousse. Ce n'était déjà plus le bruit sourd d'une respiration qu'elle entendait en elle, mais le roulement des vagues qui viennent mourir sur le rivage. Ce n'était plus le ciel d'un bleu insolent qu'elle voyait là-bas par-dessus la forêt, mais des nuages gris que poussait le vent du large. Elle entendait le rire de ce client de la vieille auberge lorsqu'elle s'était levée en titubant l'autre soir, un peu ivre. Elle regardait Marianne s'essuyer discrètement les yeux avec un mouchoir en papier. Elle essayait d'imaginer ce que pouvait être le visage d'Annette Leplantier.

Dix minutes s'écoulèrent sans qu'aucune des deux ne prononce un mot. Au loin, on entendait les voitures et les poids lourds sur la nationale. Alice sentait le calme revenir en elle.

Elle regarda sa montre, se leva et tendit la main à sa mère.

– Allez viens, on y va.

Rue Victor-Morin, Alice demanda si elle pouvait garder la voiture pour aller faire des courses en ville.

Mais elle n'alla pas dans des magasins. Elle traversa la Seine et se dirigea vers la rue Brisout-de-Barneville. S'étant garée, elle appela Bidart, qui, une fois encore, était devant son ordinateur.

– Pierre, c'est Alice, je ne te dérange pas ?
– Non, pas du tout. Où es-tu ?
– Je suis juste en bas, dans la voiture.
– Monte !
– Écoute, je préfèrerais que ce soit toi qui descendes. J'étais avec maman cet après-

midi; elle m'a raconté ce qui s'était passé
entre vous et j'aimerais t'en parler. On n'a
qu'à aller prendre un café dans le coin.

– Si tu veux. Donne-moi cinq minutes. Tu
es où exactement ?

– À l'angle de la rue de la Mare-aux-
Planches.

– C'est bon, j'arrive.

L'instant d'après, Bidart traversait la rue
et ouvrait la porte de la petite Renault.

– C'est rare de te voir conduire !

– C'est rare que je vienne te chercher !

– Où allons-nous ?

– Où tu veux.

– Attends, laisse-moi réfléchir, un endroit
tranquille.

– Tu veux qu'on aille marcher un peu ?

– Pourquoi pas ? Tu n'as pas froid comme
ça ?

– J'ai un pull à l'arrière.

Bidart était à la fois content et gêné par cet
entretien. Content, parce que s'il parvenait à

convaincre Alice que tout ça était un malen-
tendu, qu'il avait simplement revu Annette
comme chacun revoit un jour ou l'autre ses
«ex» et que ce petit mot n'était à considérer
que comme une affectueuse plaisanterie, elle
saurait calmer la colère et les soupçons de
Marianne. Gêné, parce qu'il allait devoir
parler de son passé à Alice et qu'il redoutait
toute allusion à l'épisode douloureux de la
séparation de Marianne et de Martin.

Il attendait qu'Alice fasse le premier pas.
Mais elle demeurait silencieuse, soudain
perdue comme si souvent dans quelque
pensée lointaine. Elle longeait les quais de
la zone industrielle. En cette veille de Tous-
saint en fin d'après-midi, l'endroit était
désert. De l'autre côté de la Seine, le paysage
était infiniment plus riant. On apercevait au
bas de Canteleu les premiers arbres de la
forêt de Roumare.

À hauteur des bâtiments de la Compagnie
parisienne des asphaltes, une voie menait
jusqu'au bord du fleuve. Alice ralentit. De
là, on avait une vue magnifique sur l'autre
rive, le soleil déjà bas embrasait les arbres.

– Ça te va?
– On peut difficilement faire mieux.

Alice avança la voiture jusqu'au bord du quai, coupa le moteur et serra le frein à main.

Bidart se cala dans le fauteuil. L'heure était venue.

– Alors ? demanda Alice.

– Alors quoi ?

– Alors raconte…

Bidart se redressa un peu.

– Je croyais que c'était toi qui voulais me parler.

– Alors allons-y. Pourquoi trompes-tu maman ?

– Je ne la trompe pas. C'est une histoire stupide.

Il raconta ce qui l'avait mené au début de la semaine à Bougival et comment, se retrouvant seul pour déjeuner à midi, il avait soudain pensé à appeler Annette Leplantier, dont le magasin se trouvait à Maisons-Laffitte. Il parla du chauffagiste avec qui elle refaisait sa vie et du fait qu'il n'y avait rien de répréhensible à revoir ainsi une personne avec qui on avait eu une liaison plus de quinze ans auparavant.

Alice acquiesçait, mais Bidart se rendait bien compte qu'elle ne le croyait pas. Il sentait que le coup allait venir, mais ne savait pas d'où. En quelques secondes, ils étaient

revenus des années en arrière. Alice cherchait le point sensible, rôdait comme un
félin autour de sa proie. Elle n'avait rien dit,
mais Bidart retrouvait toute cette tension
qui avait si souvent empoisonné des jour-
nées et des soirées entières.

Alice regardait fixement devant elle, les
mâchoires serrées, les yeux à peine clos, les
joues soudain légèrement marbrées.

Un grand cargo passa devant eux. Des
hommes s'affairaient à bord. Le bateau-
pilote dansait à ses côtés sur l'onde de
l'étrave. On pouvait lire le nom du cargo :
Monique Schiaffino.

– Raconte-moi ce que tu as éprouvé à
l'instant où tu as appris la mort de mon père.

– Tu me l'as demandé des dizaines de fois,
Alice. Pourquoi te faire mal ? Tout avait l'air
d'aller tellement mieux dans ta vie.

– Parce que c'est comme une petite musique que j'ai besoin d'entendre.

– J'ai eu de la peine. J'ai trouvé ça idiot ;
je me suis senti partiellement responsable
de sa mort. Tu sais bien tout ça.

– J'ai froid, je vais attraper mon pull.

Alice sortit de la voiture et ouvrit la portière
arrière. Un rayon de soleil renvoyé par la vitre
faisait une tache orangée sur le mohair de son

col roulé. Lorsqu'elle le souleva, un objet brillant étincela dans la lumière, un Baby Colt chromé à la crosse nacrée.

Bidart entendit-il la déflagration ? Sans doute. Son corps s'inclina pesamment contre la portière. Un filet de sang coulait le long de son cou et rougissait sa chemise. Les yeux ouverts, il semblait regarder dans le lointain. Il respirait normalement. Sa main gauche tremblait.

Alice vint s'asseoir à côté de lui.

– Tu vois, toutes les notes se payent un jour ou l'autre. C'est la règle du jeu.

Bidart ne bougeait pas.

– À cause de la mort de ce pauvre Guillaume Halleur, reprit-elle, vous avez tous payé. C'est drôle, la vie, tu ne trouves pas ? Si je n'étais pas tombée un jour par hasard sur un article de faits divers relatant son suicide et mentionnant les noms de Bonneval et de Vincenot, vous seriez tous là à continuer vos saloperies, à pousser au suicide des innocents comme tu l'as fait toi-même avec Martin. Mais voilà, la route est finie.

Elle parla encore quelques instants, lui rappelant la haine et le mépris qu'elle avait toujours éprouvés à son endroit. Puis elle se moqua de sa médiocrité de policier. Elle lui expliqua comment, s'étant fait passer pour une journaliste, elle avait appris quantité de choses de Michel Halleur, notamment la légende de la Dame blanche, à laquelle elle s'était identifiée – d'où les petits morceaux de tulle censés rappeler le voile de la mariée. Elle raconta aussi comment elle avait approché chacune de ses victimes, qui, en d'autres temps, avaient fait du mal à son père ; comment elle avait aussi obtenu différentes informations par Morel ; comment celui-ci s'était révélé tout aussi petit et méprisable que les autres hommes qu'elle avait rencontrés ; comment elle avait confié à Paris les enveloppes de kraft à des voyageurs qui partaient pour Rouen ; comment elle venait de tuer Bonneval.

Puis elle sortit de la voiture et ouvrit la portière de Bidart, dont le corps tomba lourdement sur la chaussée. Il respirait toujours, le regard fixe. Elle chercha dans son sac une petite trousse dont elle sortit un cutter et un bout de cordelette rouge et blanc.

Vendredi 1ᵉʳ novembre

Lorsque vers sept heures, ce matin-là, le gardien du cimetière de Préaux parcourut les allées entre les tombes, il eut l'impression que quelqu'un l'avait précédé. Son regard fut soudain attiré par une silhouette étendue sur l'une d'entre elles. Il s'approcha et découvrit, couché entre des fleurs jaunes et ocre, le corps raidi d'une très jeune femme. Allongée sur le ventre, les bras en croix, elle s'était ouvert les poignets et laissée mourir. À côté d'elle se trouvait une lettre adressée à une certaine Marianne Bidart. L'enveloppe n'était pas cachetée et il voulut la lire. Elle disait ceci :

Maman,
Papa disait que toutes les notes se payent un jour ou l'autre. Il n'avait pas tort. Tu auras attendu la tienne plus de dix ans.
Au lieu d'accomplir ce projet qui s'offrait à nous trois et de vivre ce bonheur que nous tenions à portée de main, tu as préféré tout saccager en succombant aux charmes d'un policier sans envergure. Pourquoi ? Je me suis interrogée des millions de fois. Je n'ai jamais compris. Et finalement qu'importe, puisque tout cela appartient désormais au passé.

Dans une lettre à son frère, Van Gogh écrivait : « Un jour je prendrai la mort pour aller vers une autre étoile, comme d'autres prennent le train pour aller à Tarascon. » C'est un peu ce que je fais aujourd'hui en partant retrouver papa, ainsi que je l'avais décidé depuis le jour même de sa mort. Ma vie n'aura été qu'un passage qui, par ta faute, se sera résumé à une succession de moments de tristesse et de désespoir. Sans doute ce passage aurait-il été un tout petit peu plus long si je n'étais pas tombée par hasard un jour à la maison sur cet article que tu avais toi-même découpé dans un journal et qui relatait le suicide de ce pauvre Guillaume Halleur. « Déprimé, harcelé », disait le journaliste, qui évoquait le projet de golf de la Sogestrim et mentionnait son président, François Bonneval. Son nom n'aurait eu qu'un écho lointain dans ma mémoire si tu n'avais pas éprouvé le besoin de rajouter en marge les noms de Levasseur, de Vincenot et de Duparc, qui m'ont soudain rappelé l'horreur du passé. Pourquoi as-tu découpé cet article ? Pourquoi as-tu écrit ces noms ? Sans doute parce que tu trouvais toi aussi insupportable que ces mêmes individus auxquels papa avait eu jadis affaire aient une nouvelle fois poussé un innocent à se suicider.

Moi, j'y ai vu un signe, l'annonce que l'heure était venue. La suite, tu la connais.

Sache que j'ai éprouvé un bonheur froid et sans passion à préparer chacun de ces meurtres, à voir ces types souffrir, avoir si peur et lentement mourir devant moi, lavant de leur sang un peu de leur faute.

Avant de quitter la vie à mon tour, je me suis offert un dernier plaisir, celui de mener en bateau le grand policier pour lequel tu nous avais sacrifiés. Comme tu as pu le constater, ça n'a pas été très difficile. Tu vois, ton commandant n'était pas le superflic que tu croyais avoir épousé. Et, malgré ses grands principes et ses mille vertus qui faisaient ton admiration, il n'était pas non plus le mari irréprochable que tu avais sans doute espéré.

Quand tu liras cette lettre, je serai, comme me l'avait écrit papa, avec lui « dans les espaces infinis de l'univers pour jouer avec les étoiles ». Ne t'aventure pas à essayer de nous retrouver, tu ne serais pas la bienvenue.

Alice

PS. Dis à Jean Morel que je m'excuse auprès de lui. Il comprendra.

PRIX DU QUAI DES ORFÈVRES

Le prix du Quai des Orfèvres, fondé en 1946 par Jacques Catineau, est destiné à couronner chaque année le meilleur manuscrit d'un roman policier inédit, œuvre présentée par un écrivain de langue française.

• Le montant du prix est de 5 000 F, remis à l'auteur le jour de la proclamation du résultat par M. le Préfet de police. Le manuscrit retenu est publié, dans l'année, par la Librairie Arthème Fayard, le contrat d'auteur garantissant un tirage minimal de 50 000 exemplaires.

• Le jury du Prix du Quai des Orfèvres, placé sous la présidence effective de M. le Directeur de la Police judiciaire, est composé de personnalités remplissant des fonctions ou ayant eu une activité leur permettant de porter un jugement sur les œuvres soumises à leur appréciation.

• Toute personne désirant participer au Prix du Quai des Orfèvres peut en demander le règlement à M. Éric de Saint Périer, secrétaire général du Prix du Quai des Orfèvres, 53, rue de Babylone, 75007 PARIS, téléphone : 01 47 05 87 84. E-mail : p.q.o@wanadoo.fr. La date de réception des manuscrits est fixée au 15 avril de chaque année.

Achevé de composer par
PARIS PHOTOCOMPOSITION
75017 Paris

Imprimé en France sur Presse Offset par

BRODARD & TAUPIN

GROUPE CPI

4786 – La Flèche (Sarthe), le 10-11-2000

Imprimé en France
Dépôt légal : novembre 2000
N° d'éditeur : 7307
35-17-0888-01/4
ISBN : 2 - 213- 60688 - 9